QUAND NOS SOUVENIRS VIENDRONT DANSER

Virginie Grimaldi est l'auteure des best-sellers *Le Premier Jour du reste de ma vie* (City, 2015 ; Le Livre de Poche, 2016), *Tu comprendras quand tu seras plus grande* (Fayard, 2016 ; Le Livre de Poche, 2017), *Le Parfum du bonheur est plus fort sous la pluie* (Fayard, 2017 ; Le Livre de Poche, 2018), *Il est grand temps de rallumer les étoiles* (Fayard, 2018 ; Le Livre de Poche, 2019) et *Quand nos souvenirs viendront danser* (Fayard, 2019 ; Le Livre de Poche, 2020). Grâce à une écriture maîtrisée et des personnages attachants, ses romans ont déjà séduit des millions de lecteurs.

Paru au Livre de Poche :

CHÈRE MAMIE

IL EST GRAND TEMPS DE RALLUMER LES ÉTOILES

LE PARFUM DU BONHEUR EST PLUS FORT SOUS LA PLUIE

LE PREMIER JOUR DU RESTE DE MA VIE

TU COMPRENDRAS QUAND TU SERAS PLUS GRANDE

VIRGINIE GRIMALDI

Quand nos souvenirs viendront danser

FAYARD

Citation p. 9 :
Charles Aznavour, « Je ne suis pas vieux, je suis âgé.
Ce n'est pas pareil », *AFP*, 27 novembre 2017 © AFP.
Avec l'aimable autorisation des ayants droit de Charles Aznavour.

ISBN : 978-2-253-93418-9 – 1re publication LGF

Pour mes grands-parents.
Pour mon Anatole à moi.

« Je ne suis pas vieux, je suis âgé. »

Charles Aznavour

Prologue

Je n'avais pas prévu de vous raconter ma vie.

Mes affaires ne regardent personne, pas plus que les affaires des autres ne me concernent. Les seuls moments où je parle de moi, c'est lorsque j'y suis contrainte. Même chez le coiffeur, mes lèvres restent closes.

Chacun chez soi et les moutons seront bien gardés, répétait mon père. Il avait souvent tort, sauf quand il citait quelqu'un d'autre.

Je menais jusqu'ici une existence classique, pour ne pas dire monotone. Je ne m'en plains pas, bien au contraire, mais une algue d'aquarium avait une vie plus palpitante que la mienne. Dans les événements marquants de l'année écoulée, je peux citer la perte de mon jeton de chariot au supermarché et le décès de l'araignée de la chambre jaune (de mort naturelle). Rien qui justifie une autobiographie, vous en conviendrez.

Si je vous écris aujourd'hui, c'est qu'on ne m'a pas laissé le choix.

C'est mon petit-fils Grégoire qui a eu l'idée. Vous auriez dû le voir, quand elle a percuté son esprit. Nous nous étions tous réunis à notre QG, chacun y allait de sa proposition pour trouver une solution, quand Grégoire s'est mis à vibrer. Littéralement. Il a bondi de sa chaise, sa grande carcasse s'est déroulée tellement vite que ses os ont couiné, et il a affirmé qu'il fallait que l'un d'entre nous livre son témoignage. En donnant une âme à cette affaire, nous mettrions l'opinion publique de notre côté. À mon grand étonnement, l'idée ne m'a pas paru inintéressante. Jusqu'à ce que le regard de mon petit-fils se pose sur moi et que j'y lise clairement : « Tu vas le faire, mamie. »

J'ai bien tenté d'écrire dans le mien « Pas question », mais que voulez-vous : en plus des oreilles de son père, ce pauvre garçon a manifestement hérité de la perspicacité de sa mère.

Je n'éprouve toujours pas le besoin de vous écrire mon histoire, mais je crois désormais que c'est nécessaire. J'y glisserai, lorsque je le jugerai pertinent, des feuillets de mon journal, tenu sporadiquement, tout au long de ma vie.

Je m'appelle Marceline, Odette, Germaine Masson, née le 4 février 1935.

Voici comment tout a commencé.

Chapitre 1

C'est un lundi matin, à l'heure de Motus. Je suis en train de mixer les poireaux lorsqu'on frappe. Je ne me méfie pas, cela ne peut être que la factrice. Elle seule sait que nous avons désactivé la sonnette pour éconduire les vendeurs de véranda ou de religion. J'essuie mes mains sur mon tablier et ouvre la porte en grand. De l'autre côté, le visage rubicond de Gustave me sourit.

— Que voulez-vous ?

— Toujours aussi aimable, Marceline.

— Je m'entraîne beaucoup.

— Je me serais bien passé de cette visite, figurez-vous. Mais il arrive une catastrophe qui nous concerne tous.

J'envisage de lui claquer la porte au nez, mais ma curiosité est appâtée.

— Je vous écoute.

Le voisin enfile son visage d'annonce de fin du monde et se penche à mon oreille, sans doute pour que les merles ne nous entendent pas.

Son visage n'avait pas tort. La fin de notre monde est proche.

Une fois Gustave parti, mes mains finissent de préparer la soupe, mais mon esprit est ailleurs.

L'impasse des Colibris est un appendice que seuls les riverains empruntent. On y trouve six maisons, que leurs façades affublées d'une porte et de deux fenêtres font ressembler à des visages stoïques. Derrière ces murs, il y a des vies.

Celle de Gustave au 2.

Celle de Rosalie au 3.

Celle de Joséphine au 4.

Celle de Marius au 5.

La 6 est vide.

Celle d'Anatole et moi au 1.

Nos vies habitent impasse des Colibris depuis soixante-trois ans.

Anatole est penché sur ses mots fléchés.

Depuis quelques jours, sa main droite commence à se raidir. Il en plaisante : la gauche va enfin avoir une utilité, après une vie passée dans l'ombre de sa rivale.

Je me force à sourire à chaque fois qu'il essaie de dédramatiser, mais pas ce midi. Mon mari s'en aperçoit.

— Gustave t'a contrariée ?

— Gustave contrarie son miroir, alors tu sais…

— Que voulait-il ? Il y a des années qu'il n'a pas mis les pieds ici, il devait avoir une bonne raison.

J'hésite. Je crains que la nouvelle n'aggrave son état. Mais son regard ne me laisse pas le choix. Je pose le bol de potage devant lui et emprunte un ton détaché :

— Ils vont raser l'impasse des Colibris.

1955

J'ai vingt ans. Anatole porte les deux valises qui renferment notre vie. Il est pressé. Je suis anxieuse.

Jusqu'ici, nous vivions chez sa mère, qui se faisait un devoir de laisser notre intimité à l'extérieur. Chaque matin, Geneviève grattait à la porte de notre chambre pour me prévenir qu'il était l'heure de se mettre aux fourneaux. Guidée par ses conseils, je préparais le petit-déjeuner de son fils, puis le déjeuner qu'il emporterait au bureau. Chaque soir, lorsque mon mari rentrait, j'étais plus aguerrie que la veille en matière de couture, cuisine ou nettoyage de l'argenterie.

Ma sœur Lucie s'est souvent étonnée de me voir accepter cette présence maternelle. Jamais je n'ai pu lui avouer que cela me rassurait. La perspective de vivre seule avec Anatole me terrifie.

Des gouttes de sueur perlent sur son front. Nous marchons depuis dix bonnes minutes.

— L'arrêt de bus m'avait semblé plus proche, la dernière fois, soupire-t-il.

— Veux-tu que je prenne une valise ?

— Tu n'y penses pas, ma chérie.

Je n'ai encore jamais vu la maison dans laquelle nous nous apprêtons à emménager. Anatole n'a pas eu le temps de la réflexion : les acheteurs potentiels étaient plus nombreux que les logements disponibles. Il a signé immédiatement après la visite et annoncé la nouvelle le soir même, au dîner. Sa mère s'est enquise de la taille de la cuisine.

Anatole a esquissé un croquis, afin que je puisse me projeter. Le séjour donne sur le jardin, où il compte construire une terrasse. J'y installerai une table, pour les jours de beau temps. Les chambres sont à l'étage, la plus grande offre une vue sur la place.

La place. La voilà, face à moi. Un immense tapis d'herbe et de pâquerettes au centre duquel trois épicéas géants se laissent paresseusement bercer par le vent de printemps. Tout autour, les pruniers font la ronde dans un feu d'artifice de fleurs roses. Anatole sourit :

— Elle te plaît ?

— C'est splendide !

— Notre maison est juste là.

Impasse des Colibris. Le numéro 1 fait l'angle. Un cube blanc posé sur un carré de verdure. Je sens le regard de mon mari sur moi. Il guette ma réaction. Je commande à mon cerveau un sourire, il me livre des sanglots. Anatole lâche les valises et me saisit doucement par les épaules.

— Que se passe-t-il, ma chérie ?

Pour toute réponse, je lui offre un délicat reniflement de cochon.

— Tu ne veux plus vivre avec moi ?

— Bien sûr que si ! parviens-je à articuler entre deux hoquets.

— Mais alors, pourquoi pleures-tu ?

Je m'empare du mouchoir brodé à ses initiales qu'il me tend et j'essuie mes larmes – et mon nez.

— Je veux vivre avec toi, Anatole. C'est juste que je suis morte de peur. Je ne suis pas sûre d'être une épouse à la hauteur.

Anatole fronce les sourcils. J'aurais mieux fait de me taire. Mon père disait toujours que je parlais à tort et à travers.

Sans un mot, mon mari se dirige vers la porte et l'ouvre. Il me laisse entrer en premier. Le séjour est plus petit que je me le figurais, mais il est inondé de lumière. Le linoléum beige apporte de la chaleur. Je visite toutes les pièces en me sachant chez moi, mais en ne le ressentant pas encore. Il flotte une odeur de peinture et de colle qui disparaîtra bientôt au profit de notre odeur à nous. Petit à petit, je me détends. J'imagine les meubles, je visualise les rideaux, je fantasme les rires d'enfants. Nous serons bien, ici.

La voix d'Anatole me tire de notre avenir.

— Tu n'as pas à t'inquiéter, ma chérie.

Je pose ma tête sur son épaule. Face à nous, la fenêtre ouverte plonge sur la place fleurie. Son bras vient doucement envelopper mes épaules.

— Tu n'as pas à t'inquiéter, ma chérie, répète-t-il. Si tu n'es pas une épouse à la hauteur, tu travailleras pour le devenir.

Chapitre 2

Nous arrivons les derniers. Anatole tenait à s'y rendre sans son fauteuil. Évidemment, Gustave ne peut retenir une remarque :

— Ah ! Vous voilà ! Une minute de plus et je m'endormais.

— Alors je reviens dans une minute, je rétorque en entamant un demi-tour.

Mon mari me retient par le bras. Il a passé deux jours à me convaincre de venir, ce n'est pas pour me voir renoncer si près du but.

Marius a décrété qu'il fallait se réunir. Nous sommes tous là, tous les survivants de l'impasse des Colibris entassés dans la cuisine de Rosalie. Si elle n'était pas en train de pérorer en servant ses petits-fours décongelés, on pourrait se croire à ses obsèques. J'avale une gougère au fromage.

Marius se lève :

— Merci à tous d'être venus. Je sais que ce n'était pas forcément facile de se retrouver ensemble après ce qui s'est passé, mais, si on ne se serre pas les coudes, on peut dire adieu à la cité.

— Marius, êtes-vous sûr de vos informations ? interroge Joséphine en triturant ses doigts.

Il est sûr. Sa petite-fille Juliette travaille à la mairie. Le réaménagement du quartier vient d'être voté. Le maire a pour projet de construire une école sur la place et un parking sur l'impasse des Colibris.

— Ils n'ont pas le droit de nous jeter dehors, c'est chez nous ! clame Joséphine.

Marius secoue la tête :

— Vous n'êtes pas sans savoir que j'étais juriste. Je connais encore du monde dans le milieu juridique, je me suis donc renseigné. Malheureusement, tous sont formels : c'est tout à fait possible.

J'écoute attentivement les explications de notre voisin. D'après lui, la mairie devrait nous faire une offre d'achat, que nous aurons le droit de décliner. Dans ce cas, le conseil municipal votera une délibération pour obtenir une déclaration d'intérêt public qui mènera à l'expropriation.

Joséphine s'éjecte de sa chaise comme une tartine grillée.

— Nous ne nous laisserons pas faire, les amis ! Unissons nos forces pour lutter !

— Je suis d'accord, renchérit Marius. Engageons notre dernier combat ! Qui en est ?

Gustave se lève en signe de ralliement. Marius se met à entonner *L'Internationale*. Rosalie imite le clairon. Je prie pour devenir sourde et aveugle.

L'euphorie ne faisant pas long feu à nos âges, le clairon et la casserole se taisent rapidement et chaque fessier regagne son siège. Marius nous dévisage :

— Et vous, Anatole et Marceline ? Vous êtes avec nous ?

— Bien sûr qu'ils vont se battre à nos côtés ! répond Rosalie en adressant un sourire complice à mon mari. Anatole est un homme courageux.

Je ricane :

— Faut-il l'être pour te supporter comme voisine depuis plus de soixante ans.

Mon cher époux étouffe un rire. Je reprends :

— Puis-je vous demander comment vous comptez vous y prendre pour qu'une bande d'octogénaires fasse capoter un tel projet ? Vous pensez vraiment avoir une chance ?

Le silence qui accueille ma question me rassérène. Ils ne sont peut-être pas définitivement perdus. Puis, Marius répond :

— On n'a rien à perdre. On ira jusqu'au bout. Et on dansera sur leurs cadavres fumants !

Tous se lèvent comme un seul homme rouillé en poussant des cris de guerre à faire frémir un nourrisson. Je fouille le regard de mon mari à la recherche de consternation, j'y trouve de l'excitation.

Je suis seule, cernée par des personnes dont la raison a manifestement pris la poudre d'escampette.

Je ne mesure pas encore à quel point, pourtant j'ai le pressentiment que je ne peux pas les laisser sans surveillance.

C'est dans ce but, et dans cet unique but, je le jure, que j'entraîne mon mari par la main et que je rejoins les rangs des résistants.

Chapitre 3

Notre QG a rapidement été trouvé. À l'unanimité, nous avons adopté la table en bois nichée sous les trois sapins de la place. Le lieu présente deux avantages : nous y sommes à l'abri, et Rosalie n'est pas chez elle.

C'est là que se tient notre deuxième réunion, une semaine après la première. Nous avons eu des devoirs : chacun a dû réfléchir à un moyen efficace de faire céder la mairie. Les membres du groupe étant des personnes mesurées et raisonnables, les idées le sont tout autant.

Gustave propose une petite grève de la faim.

Joséphine veut juste grimper en haut d'une grue.

Rosalie envisage tout simplement de séquestrer le maire.

Marius, sensible, préfère enlever les enfants du maire.

Je me tourne vers Anatole en quête de réconfort. L'œil pétillant, mon cher époux propose d'investir le plateau d'une émission télévisée en direct.

J'ajoute mentalement du cyanure à la liste des courses.

Rosalie, qui a manifestement confondu son rouge à lèvres avec sa brosse à dents, me demande si j'ai une idée. Tous les regards convergent vers moi. Je songe à proposer un suicide collectif, mais ils sont capables d'approuver.

— J'en ai bien une, mais j'ai peur qu'elle vous paraisse excessive. Elle frôle un peu la folie, je l'avoue.

J'entends leur sang frémir.

— Vous êtes bien assis ?

Hochements de têtes blanches.

— Bien. Et si on demandait un rendez-vous au maire, pour en discuter avec lui ?

Leur déception me pincerait presque le cœur. Rosalie fronce les sourcils :

— Tu t'en fous, de sauver le quartier, c'est ça ?

— On n'a pas le temps d'aller cirer les pompes du maire, ajoute Marius. Il faut frapper fort et frapper vite !

— Moi, je me dévoue pour monter en haut d'une grue, insiste Joséphine. J'ai fait beaucoup de trapèze dans ma jeunesse, je n'étais pas mauvaise.

Afin de trancher, Gustave propose un vote à main levée. Tranquillement, sans s'encombrer de scrupules, chacun opte pour son propre projet. Égalité parfaite. Si nous étions candidats à la présidentielle, on montrerait notre bulletin à la caméra avant de le glisser dans l'urne.

Anatole, sans doute effrayé par la perspective de dormir sur le divan, a voté pour mon idée (je me félicite de ne pas avoir mentionné le suicide collectif). Je l'emporte d'une voix, prenant instantanément la première place sur la liste des personnes que mes voisins souhaitent voir disparaître.

Tandis que Marius appelle la mairie pour prendre rendez-vous, Joséphine décrète qu'il est temps de nous trouver un nom. Je me lève pour battre en retraite, c'est au-dessus de mes forces. Trouver un nom à un enfant, d'accord. À un chaton, éventuellement. À une plante, à la rigueur. Mais que l'on ne me demande pas de perdre plusieurs minutes pour nommer ce rassemblement aussi ridicule qu'inutile. Je préfère encore être transformée en suppositoire.

— Où allez-vous ? s'enquiert Gustave.

— Je rentre chez moi.

— Mais on doit trouver un nom ! geint Joséphine.

Je poursuis ma fuite, mais Anatole est définitivement passé dans le camp ennemi.

— Reste, ma chérie ! Ça va être drôle, j'en suis sûr.

— Je n'en doute pas, mon cher et loyal mari. Je me préserve, trop de drôlerie peut faire monter ma tension.

Rosalie lève les yeux au ciel.

— Laissez donc partir la frigide. Marceline n'a jamais brillé par son humour…

Je m'arrête, me retourne et adresse un sourire immense à mon adorable voisine.

— Je te remercie, Rosalie, je savais que je pouvais compter sur toi. À force de passer du temps avec tes caniches, tu es devenue la meilleure amie de l'homme.

À peine ai-je terminé ma phrase qu'un rire familier retentit derrière moi.

Il ne manquait plus que lui.

Mon petit-fils Grégoire ne me laisse pas le temps de le repousser. Ses babines s'écrasent sur ma joue tandis que ses bras enserrent mes épaules. Il me prend pour son traversin.

— Que fais-tu là ?

— Moi aussi, je suis content de te voir, mamie ! J'aimerais m'installer dans la chambre jaune, mais si tu préfères que je prenne la bleue, tu me dis. Ne t'inquiète pas, ce sera juste deux jours par semaine, j'ai une femme et des enfants, tu sais.

Ma repartie est tellement surprise qu'elle disparaît.

— Que fais-tu là ? je répète d'une voix blanche.

— Marius m'a trouvé sur Facebook et m'a envoyé un message pour me parler de votre problème. J'imagine que tu n'osais pas me déranger, tu n'as pas pu oublier que j'étais journaliste dans le quotidien le plus lu de la région et que je pouvais apporter une belle visibilité à votre combat. Je n'ai pas hésité une seconde, il s'agit d'un sujet aussi révoltant que passionnant : un groupe de personnes en fin de vie qui se bat contre la mairie pour sauver ses souvenirs, on va en faire le feuilleton du printemps !

Il termine sa tirade et me laisse là, comme un fruit dans sa panière, pour aller saluer son grand-père et les voisins qui frétillent.

Trente minutes plus tard, je deviens, à mon corps défendant, la rédactrice des mémoires de l'impasse des Colibris.

Cinquante minutes plus tard, notre petit groupe est officiellement – et modestement – baptisé « Les Octogéniaux ».

1955

L'été est à la porte.

Le matin, le soleil caresse le salon, avant d'aller faire la cour à la cuisine. Je le suis, tel un tournesol, tout au long de la journée. Il réchauffe mes pieds pendant que je tricote, il illumine mes mains tandis que je prépare le repas, le soleil est le compagnon de ces longues heures de solitude.

Anatole travaille comme gestionnaire aux Nouvelles Galeries. Il part à l'aube et rentre quand sonnent sept heures. Il déjeune à la maison tous les midis. Vingt minutes de bus à l'aller, vingt au retour, quatorze minutes au pas de course, il ne lui reste que peu de temps pour engloutir son repas, mais il tient à passer ce moment en ma compagnie.

Ces journées l'éreintent. Il n'est pas rare qu'il s'endorme sur le fauteuil juste après le dîner. C'est le cas ce soir. Dans deux semaines, il sera en vacances et pourra se reposer. Nous n'avons pas prévu de partir tant que les meubles que nous avons achetés à crédit n'auront pas été remboursés.

Je baisse le son de la radio et sors dans le jardin. Il fait encore grand jour. Un chien jappe au loin, des insectes bourdonnent autour de la lavande que ma belle-mère est venue m'aider à planter. Dans mon dos, une voix me fait sursauter.

— Quelle chaleur !

Ma voisine du numéro 3 est assise sur le pas de sa porte, une cigarette à la main droite, un caniche à la main gauche. Il m'est arrivé de la croiser à l'occasion de la venue de la laitière ou du volailler, mais nous n'avons guère échangé plus que quelques civilités. Je lui réponds d'un hochement de tête, elle se lève et se dirige vers moi, franchissant la frontière invisible de nos terrains.

— Rosalie, dit-elle en me tendant la main.

— Marceline, enchantée.

— Vous voulez une cigarette ?

L'idée me met le feu aux joues. Mon père m'a tellement répété que les femmes qui fument étaient vulgaires que je n'ai jamais envisagé la chose. Je décline poliment.

— Vous loupez quelque chose, c'est divin ! répond-elle. Votre maison vous plaît ?

Elle porte un foulard dans ses cheveux blonds et des lèvres carmin, un pantalon blanc en toile et les pieds nus. Elle ressemble à cette actrice américaine dont tout le monde parle, Marilyn Monroe. Elle rit fort et fait de grands gestes, comme si ce que l'on pouvait penser d'elle lui était égal. Elle ne floute pas ses contours, elle les déborde. Je n'ai jamais rencontré une femme comme elle.

Rosalie est coiffeuse le jour, chanteuse le soir. Elle se produit une fois par mois dans un bar avec un orchestre. Elle a cinq ans de plus que moi, et déjà voyagé à l'étranger. Son plus grand rêve est de devenir une star aux États-Unis. Quand elle en parle, elle a déjà les étoiles dans les yeux.

— Viens, je vais te montrer quelque chose ! lance-t-elle soudain en glissant son bras sous le mien.

Je la suis sans résister. Nous traversons le jardin, puis la route, avant de nous retrouver sur la place. Là, elle m'entraîne vers les trois immenses sapins qui dominent l'endroit et nous fraie un passage entre les branchages. Nous débouchons sur un petit espace sombre et frais, à l'abri du reste du monde. Un cocon où tout est atténué : le bruit, la lumière, la chaleur.

— J'ai découvert cette cachette en promenant Norma, explique Rosalie. J'adore venir m'y réfugier quand tout va trop vite. J'ai envie d'y installer une table et des bancs, pour y lire ou y déjeuner. Tu pourras venir aussi, si tu veux !

— C'est une très bonne idée ! Je peux demander à mon époux, il sait travailler le bois et le…

Son rire m'interrompt.

— Pas besoin d'homme, chérie, je suis tout à fait capable de m'en occuper ! Tu voudras m'aider ?

— Je ne sais pas si je pourrai…

— Tu pourras, tout le monde le peut ! Pas besoin d'avoir un service trois pièces pour utiliser ses bras. Je t'apprendrai si tu veux.

J'acquiesce en silence, ne sachant encore si cette voisine éclatante doit me fasciner ou m'effrayer.

Le soleil est couché lorsque je prends conscience que j'ai laissé mon pauvre mari dormir assis pendant deux heures. Je prends brusquement congé et regagne le séjour en courant. Anatole, la tête en arrière, ronfle bruyamment. Je caresse sa joue jusqu'à ce qu'il émerge du sommeil.

— Je suis désolée, ma chérie, murmure-t-il en ouvrant les yeux. Tu dois te sentir seule, je passe mon temps au travail ou endormi. Tu ne m'en veux pas ?

Je continue de caresser sa joue. J'aime sa peau du soir, quand elle devient rugueuse. Il m'attire vers lui, je tombe sur le fauteuil, nous rions.

— Je ne t'en veux pas, tu fais ton possible pour nous offrir une belle vie. Ne t'inquiète pas pour moi.

— Tu ne t'ennuies pas trop ?

— Tout va bien. Il y a beaucoup de choses à faire dans une maison, les journées passent vite. Il se peut même que j'aie encore plus d'occupations d'ici quelques mois…

J'avais prévu d'attendre d'être sûre pour le lui annoncer. En voyant son sourire, je ne regrette pas. La petite chambre du fond sera bientôt habitée.

Chapitre 4

Le maire nous reçoit à l'heure prévue. Il me serre la main, envoyant dans l'au-delà la totalité de mes phalanges.

Tous les Octogéniaux sont présents, hormis Anatole, très fatigué depuis deux jours.

Le maire nous invite à nous asseoir. Nous obéissons, acte qui représente un effort incommensurable pour Marius. Deux heures plus tôt, nous avons mis beaucoup de temps à le convaincre que se présenter au rendez-vous en cotte de mailles n'était peut-être pas nécessaire.

— Que puis-je pour vous ? interroge le maire en s'installant de l'autre côté du bureau.

C'est Joséphine qui prend la parole, avec un débit qui trahit sa détresse. Le maire l'écoute. Je scrute son visage à la recherche d'arrogance ou de désintérêt, mais il semble réellement attentif. Préférant détester mon adversaire, je décide de me concentrer sur son tic de langage.

— Je vous remercie d'être venus me voirAN. Je vous sais gré de la confiance que vous me témoignez et je tiens à en être dignAN.

Insupportable. Je vous épargne en retranscrivant le reste de son discours. Le bien-être des habitants est au cœur des préoccupations de monsieur le maire. Nous sommes parmi les plus anciens à avoir élu domicile sur la commune et il a une affection particulière pour nous. Cependant, la population a bondi ces dernières années, et il n'y a plus assez de classes pour accueillir tous les enfants. Après étude, la place est l'endroit idéal pour construire une nouvelle école tournée vers la nature, qui ira de la petite section de maternelle au collège. Les espaces verts seront conservés et poules et chèvres peupleront la cour. Selon les plans, l'impasse des Colibris accueillera l'indispensable parking. Les maisons y sont vieilles, et la proposition financière qui va nous être faite sera généreuse. Bien évidemment, l'objectif est de satisfaire tout le monde et que tout se passe dans la bonne humeur. BlablablaHAN.

— Je ne donnerai jamais mon accord ! rugit Marius. Il faudra me passer sur le corps !

— À moi aussi ! renchérit Rosalie en gloussant.

Une vision gênante m'apparaît, je la chasse aussitôt. Marius se lève et brandit sa canne :

— Nous ne nous laisserons pas faire. Je connais bien la loi, une expropriation ne s'obtient pas aussi facilement. Il vaut mieux renoncer que s'engager dans une longue bataille perdue d'avance.

Le maire a l'air sincèrement désolé. Sa décision est prise, nous ne pourrons rien y changer.

— Inutile d'insister, dis-je en me levant. Vous voyez bien qu'il n'y a rien à en tirer. D'un pot de chambre, on ne fera jamais un bidet.

Gustave secoue la tête tellement fort que je le vois flou. Il se déplie et se dirige en tremblant vers le maire, droit dans son fauteuil.

— Ce ne sont pas que nos maisons qui vont être écrabouillées, ce sont nos souvenirs. Nos vies. Nos promesses, nos souffrances, nos nuits d'amour, les rires de nos enfants… Le numéro 6 de l'impasse des Colibris est vide. Il était autrefois habité par Marie et André, qui avaient un fils, Didier. Il a fait ses premiers pas sur la place, on était tous là pour l'encourager. Il a lâché la main de sa mère et s'est élancé vers son père, je filmais l'événement avec ma caméra 8 mm. À peine avait-il fait trois pas qu'il est tombé. Son menton a tremblé, on a pensé qu'il allait pleurer, mais il s'est vaillamment relevé et a rejoint son père sous les applaudissements. Je me souviens précisément de ce qu'a dit sa mère : « Ce petit a du tempérament. » Elle avait raison.

Gustave marque une pause. Nous avons tous deviné la suite. Il hausse les épaules et reprend :

— Tu as toujours eu du tempérament, Didier. Mais je croyais que tu avais du cœur.

1956

La chaleur est écrasante, cet été. Anatole en vacances, nous passons nos journées à l'intérieur, les volets clos, à lire, à manger, à faire paresseusement l'amour. Mon mari a pris l'habitude de m'aider en cuisine, je l'ai même surpris ce matin avec un balai à la main. Il tenait le manche du bout des doigts comme s'il était parsemé d'épines, mais ce geste m'a profondément émue. Contrairement à ce qu'il a laissé paraître, l'accident de l'année dernière l'a ébranlé, c'est pourquoi il fait tout pour éviter que nous perdions ce nouveau bébé.

Le soir venu, lorsque la température devient supportable, nous ouvrons portes et fenêtres et gagnons la place pour notre balade quotidienne. Les arbres sont lourds de prunes juteuses, que nous dégustons en marchant lentement sous le ciel qui rosit. Il n'est pas rare que nous croisions l'un ou l'autre de nos voisins, Gaston et sa femme Joséphine s'adonnant à la course à pied, Marie et André se promenant avec Didier,

Gustave et Suzanne refaisant le monde, bras dessus, bras dessous, Rosalie lançant un bâton à son chien ou encore Marius et Blanche jouant avec leurs filles.

Ce soir, ils sont tous réunis près des sapins. Tandis que nous les rejoignons, leurs exclamations nous parviennent. Gustave est accroupi, une caméra à la main. Marie applaudit, André tend les bras. Nous arrivons juste à temps pour assister aux premiers pas du petit Didier, qui tendait le ventre de sa mère lorsqu'ils sont arrivés ici.

Dix minutes plus tard, l'événement méritant d'être dignement fêté, la table en bois que nous avons construite avec Rosalie accueille la toute première réunion des voisins. Chacun a apporté des boissons, des fruits ou de la vaisselle et, à la lueur des bougies, nous apprenons à nous connaître.

Voilà près d'un an et demi que nous avons emménagé impasse des Colibris. Je connais les prénoms de chacun des habitants, je sais que Marius est juriste et Rosalie coiffeuse, que cette dernière a vingt-six ans, et c'est tout. Nous nous croisons, échangeons quelques formules de politesse, il arrive que les hommes se prêtent main-forte pour la construction d'une terrasse ou la peinture d'un mur, mais nous n'avons jamais dépassé la barrière de la courtoisie. Nous vivons côte à côte comme des étrangers. Il m'arrive d'imaginer que les cloisons disparaissent, je suis aux fourneaux, Joséphine sur son lit, Gustave dans le garage, nous dormons, mangeons, faisons l'amour, nous pleurons, rions, tremblons à quelques mètres les uns des autres. Nos corps sont séparés par des murs. Nos vies sont cloisonnées.

Pendant deux heures, nous en apprenons plus sur ces femmes et ces hommes qui respirent le même air que nous.

Gustave, un grand brun à la carrure sportive, est cordonnier, mais bien chaussé, tient-il à préciser dans un rire. Son épouse, Suzanne, est née en Tunisie. Elle parle vite, comme si le temps lui manquait. Elle évoque son village natal avec nostalgie, se perd dans ses souvenirs, puis revient à nous avec un large sourire en évoquant Édith Piaf. Son visage passe de l'ombre à la lumière. Leur bébé doit naître d'un jour à l'autre, ils sont prêts. Elle le porte depuis neuf mois, ils l'espèrent depuis trois ans.

Marius, invariablement vêtu d'un costume trois pièces, joue du saxophone. Il était membre d'un groupe de jazz à Paris, pas très connu, mais qui avait tout de même un public de fidèles. Un jour où elle visitait la capitale avec ses parents, Blanche a croisé son regard sur scène. Chaque soir, désormais, c'est à elle et à leurs jumelles de trois ans qu'il offre une représentation privée. L'été, lorsque les fenêtres sont ouvertes, je tends l'oreille pour en profiter. Je crois n'avoir jamais vu leurs mains séparées. Où que je les croise, sur la place, dans la rue, au marché, elles sont entrelacées. C'est magnifique, un amour tellement puissant qu'il est impossible de vivre sans être liés, mais cela doit rendre délicat le lavage de la vaisselle.

Marie est une petite brune taiseuse. Tout l'inverse d'André, son mari, un grand blond qui engagerait la conversation avec un arbre. Il raconte par le menu les voyages qu'ils ont effectués, il nous fait humer les odeurs et admirer les couleurs, l'espace de quelques instants nous ne sommes plus sur la place mais au pied de Big Ben, à la fontaine de Trevi ou au Parthénon. Ils ont les pieds ici, la tête ailleurs, et un seul désir : y retourner, dès que Didier sera en âge de se souvenir.

Joséphine ressemble à une petite fille. Elle a des taches de rousseur et des yeux comme des planètes. Elle cache ses rires derrière sa main et s'émerveille d'une fleur, d'une abeille, d'un nuage. Elle veut quatre enfants, deux pour chaque bras. Les prénoms sont déjà choisis : ceux des garçons commenceront par un G, comme leur père ; ceux des filles par un J, comme elle. Son époux, Gaston, est vétérinaire, nonobstant le fait qu'il ressemble à un acteur hollywoodien. Le mois dernier, il est rentré avec un chaton abandonné. C'est un mâle. Ils l'ont appelé Grisou.

Rosalie est veuve. Elle ne l'aurait sans doute pas confié si elle n'avait été pressée de questions. Une femme seule dans une grande maison, la curiosité l'emporte sur la politesse. Son mari vérifiait la toiture d'un logement dont il dirigeait la construction. Il pleuvait. Depuis, elle se consacre à la musique, qui ne lui brisera jamais le cœur.

Nous découvrons nos voisins, ces personnes qui vont vieillir avec nous, ces femmes pleines de rêves, ces hommes pleins de projets. C'est émouvant de songer que nous avons choisi le même endroit pour édifier nos vies. Les printemps passeront sur l'impasse des Colibris, puis les étés, puis les hivers. Que nous réserve l'avenir ? J'aimerais parfois passer la tête par une petite fenêtre ouverte sur le futur, savoir si nos rêves se sont réalisés, si Joséphine a quatre enfants, si Rosalie remplit des salles de concert, si Didier a une belle vie, si Marius et Blanche se tiennent toujours la main, si je fais encore rire mon Anatole.

Il est près de minuit lorsque la soirée se termine. Gustave se lève le premier, il travaille tôt demain matin, nous le suivons dans l'impasse et chacun regagne sa maison. Une à une, les portes se referment sur notre intimité. J'ai l'impression d'avoir levé un voile, élargi mon horizon, qu'il m'arrive de trouver trop étroit. Je me sens bien. Dans un accès d'audace, j'embrasse langoureusement mon mari, lequel, semblant apprécier, me soulève et me porte jusqu'à notre lit. À peine m'a-t-il déposée qu'une douleur me plie en deux. Je la reconnais immédiatement, elle a déchiré mon bas-ventre l'année dernière. Je n'ai aucune visibilité sur l'avenir, mais j'ai une certitude. En février prochain, nous n'aurons pas notre bébé.

Chapitre 5

Au retour du rendez-vous avec le maire, je trouve Anatole endormi sur son fauteuil, son magazine de mots fléchés ouvert sur ses cuisses. Je dépose mon sac sur la table et m'approche doucement de lui.

Les années ont laissé des traces de leur passage sur sa peau. Ses joues sont froissées, son front rayé, pourtant, l'homme que je vois n'est pas vieux. Il a le menton volontaire et le regard rieur, il a les épaules larges et la voix forte, il a de la volonté et de la mauvaise foi, il a des projets et pour toujours vingt ans.

Un bruit à l'étage me fait sursauter. Puis un autre. Il n'y a aucun doute, quelqu'un est en haut.

La semaine dernière, Joséphine a trouvé un homme dans son jardin alors qu'elle rentrait du marché. Elle a crié si fort qu'on a cru que la guerre avait repris. Les cambriolages se multiplient dans le coin, aujourd'hui il a lieu chez nous.

Je m'éloigne d'Anatole sur la pointe des pieds pour ne pas l'affoler. Hier, le neurologue a affirmé qu'il devait éviter la moindre émotion forte. La maladie évolue vite. Durant toute la consultation, j'ai voulu lui demander combien de temps il restait. Ma bouche a refusé de formuler la question.

Maintenant, j'entends clairement des pas. Les paroles de l'agent qui a fait le tour du quartier me reviennent en mémoire : en cas d'intrusion, il faut appeler la police. Ne pas chercher à gérer la situation soi-même. Je n'ai jamais eu l'âme d'une héroïne, je dois confesser que c'est même plutôt le contraire ; une fois, j'ai quitté ma cuisine en courant, car la poêle venait de prendre feu, mais je possède un sens logique assez développé. Avant que la police n'arrive, le cambrioleur aura eu le temps de se fabriquer un sac avec la peau de nos fesses. Anatole n'a pas la force de se défendre, je n'ose imaginer la scène si le voleur descend et nous trouve là. Le mieux est encore d'essayer de parlementer. J'ai quelques atouts sous mon matelas, et un joker dans la poche.

Il me faut cinq minutes pour monter les escaliers. Dès le diagnostic d'Anatole, nous avons fait transformer le garage en chambre avec salle d'eau, afin de lui permettre de vivre uniquement en bas. Petit à petit, j'ai moi aussi espacé mes efforts. Il y a bien deux mois que je n'ai mis un pied à l'étage.

Je reprends mon souffle sur le palier quand une grande silhouette surgit de la salle de bains et se dirige vers moi d'un pas décidé. La peur me fait oublier le plan A, je passe directement au B. J'extirpe de ma poche la bombe lacrymogène que m'avait confiée l'agent et en arrose généreusement le visage de l'intrus, lequel se met à hurler.

— Putain, mamie, mais qu'est-ce que tu fous !

Grégoire s'essuie les yeux en gémissant. Il a toujours été fragile.

Mon petit-fils se rue vers le lavabo et s'asperge les yeux d'eau, non sans distribuer au vent des mots que la décence m'interdit de retranscrire ici. Je n'imaginais pas son vocabulaire si riche. Le liquide semble augmenter sa douleur. Je le redresse doucement et l'assois sur la baignoire, avant de tamponner une serviette de toilette sur son visage.

Petit à petit, il s'apaise.

— Pourquoi t'as fait ça ? me demande-t-il en me fixant avec ses yeux de lapin myxomateux.

— Je m'ennuyais un peu.

— Sérieusement, mamie ! J'ai trente-six ans, tu peux plus me faire avaler tes bobards.

— Je pensais que c'était un soin du visage.

Je vois qu'il ne me croit pas, mais je ne peux tout de même pas lui avouer que j'avais oublié sa présence. Il vit ici deux jours par semaine.

Du rez-de-chaussée, Anatole me hèle, m'offrant une belle occasion de me défiler. Je me dirige vers l'escalier sans demander mon reste, mais en lui glissant une dernière recommandation.

— Attends un peu avant de descendre, tu as une mine horrible. Ton grand-père ne mange pas beaucoup, il ne faudrait pas que tu lui coupes l'appétit.

Chapitre 6

Anatole est parti depuis deux heures et je ne sais plus quoi faire pour dissoudre mon angoisse. C'est la première fois qu'il refuse que je l'accompagne à un rendez-vous médical, il a préféré me remplacer par Grégoire. Peut-être m'en veut-il pour la dernière fois.

C'était chez l'orthophoniste, pour sa rééducation hebdomadaire. Le praticien habituel était absent, et le remplaçant avait manifestement oublié sa patience au vestiaire. Il parlait avec brusquerie, levait les yeux au ciel et n'arrêtait pas de soupirer. « Faites un effort, voyons, ce n'est pourtant pas compliqué ! » répétait-il sans cesse. J'ai pris sur moi, je le jure. Je lui ai trouvé des circonstances atténuantes, un parent mourant, une femme adultère, une constipation récalcitrante, mais une phrase a fait exploser ma bonne volonté.

— Monsieur Mouron, a-t-il dit, il va falloir y mettre du vôtre si vous voulez ralentir l'évolution de la maladie.

— Monsieur Masson, ai-je repris.

— Pardon ?

— Il s'appelle monsieur Masson, pas monsieur Mouron.

— Humm, a-t-il fait sans plus se soucier de moi.

— Non, pas humm, ai-je insisté. Depuis le début de la séance, vous traitez mon mari comme s'il n'existait pas. Ses membres se paralysent, pas ses émotions ! L'homme que vous avez en face de vous a eu votre âge, et un jour, peut-être aurez-vous le sien. Vous êtes tous deux des humains. Vous serez alors heureux que les médecins vous offrent un peu de considération.

Sans même un regard pour moi, l'orthophoniste m'a demandé sèchement d'aller dans la salle d'attente. J'ai obtempéré, non sans ajouter :

— Veuillez m'excuser, je me suis trompée. Vous n'êtes pas un humain, mais un petit trou du cul.

J'ai vu dans le regard de mon cher époux que j'aurais pu me passer de cette dernière phrase. Il ne m'a pas adressé un mot du retour. Quand enfin il a consenti à me reparler, c'était pour m'annoncer qu'il se passerait désormais de ma présence lors des rendez-vous médicaux et que je lui avais fait honte.

J'espère qu'ils vont bientôt rentrer. Pourvu que les nouvelles soient bonnes.

Agrippée à la télécommande, je zappe à la recherche d'un programme qui pourrait me changer les idées. Je goûte peu la télé, je subis les informations qu'Anatole aime regarder pendant le dîner, meilleur coupe-faim sur le marché, le reste du temps elle est éteinte. Les chaînes défilent, feuilleton à l'eau de rose, jeu idiot, dessin animé niais, magazine racoleur, jusqu'à ce que mon attention soit attirée par une image. Un couple est vraisemblablement en train de se marier sur une plage. Je monte le son.

Elle porte une robe rouge en dentelle et un bouquet, lui un costume argenté. Elle s'appelle Alixa, il s'appelle Dylon, si j'en crois l'officiant. Le soleil est au zénith, leurs amis sont autour d'eux. Un grand brun arbore un tatouage sur l'avant-bras : « Ce qui ne nous tue pas nous rend pas morts », tandis qu'une jeune fille porte ses fesses à la place de ses seins. En quelques secondes, je suis transportée dans une contrée inconnue où les mots n'ont pas le sens qu'on leur a donné à leur création. Les pieds dans l'eau, tous s'apprêtent à vivre un moment unique. Le taux de plastique dans la mer n'a jamais été aussi élevé. Je suis fascinée.

L'officiant indique au couple qu'il est temps d'échanger leurs vœux. C'est Dylon qui commence.

— Ma pupute, toi et moi on est tombés amoureux alors que tout le monde croivait qu'on s'aimait trop pour aimer quelqu'un d'autre. Je ne pouvrai plus jamais vivre sans toi. Je veux que tout ce qui est à moi et à toi, et tout ce qui est à toi et à moi, surtout tes seins parce que j'ai payé la moitié. Veux-tu devenir ma femme ?

Pupute pleure trop pour répondre. Des larmes pailletées dévalent ses joues lisses. L'espace d'un instant, je repense à cette poupée star des années quatre-vingt, qui pleurait pour qu'on lui donne le biberon et faisait pipi quand on lui appuyait sur la main. Je prie pour que personne ne serre la main d'Alixa.

— Mon âme frère, renifle-t-elle enfin, comme disait Jésus : « Aimer, c'est regarder ensemble dans la même érection. » Tu m'as fait monter au septième rideau, je t'aime plus que tout et je ne veux plus passer un seul jour sans…

Alixa ne peut finir sa phrase. L'émotion est trop forte. Ses jambes ne la portent plus. Au ralenti, sous les regards effarés de ses amis, elle s'écroule dans l'eau. Une certaine Liana se jette sur elle et entreprend de lui prodiguer un massage cardiaque du nombril, provoquant les hurlements de la future épouse trempée jusqu'à l'os.

La sonnette interrompt la scène. De mauvaise grâce, j'éteins le téléviseur et ouvre la porte. Gustave me fait face.

— Encore vous ?

Sans répliquer, ni même me saluer, mon voisin m'apprend que nous avons un gros problème.

— Gros comment ? je demande.

Il lève les yeux au ciel et soupire :

— Gros comme une grue.

1959

Je n'ose l'avouer à personne, alors il me faut l'écrire pour m'en décharger.

Je m'ennuie.

Mes journées se ressemblent toutes.

Tous les matins, depuis la fenêtre de la cuisine, je salue Rosalie qui, juchée sur ses talons, court presque pour ne pas être en retard au salon de coiffure. Vient ensuite l'heure du départ d'Anatole pour le travail. Depuis le pas de la porte, je l'accompagne du regard jusqu'à l'angle de la rue, puis j'assiste à l'éveil du quartier. Gustave enfourche son vélo gris avant d'embrasser Suzanne et leur petite Françoise de deux ans, puis de s'éloigner en sifflant. André démarre la DS cinq minutes avant de partir et ne quitte pas l'impasse des Colibris sans klaxonner trois fois, faisant rosir de plaisir les joues de son fils Didier, assis sur les genoux de sa mère sur le siège passager. Gaston est le dernier à quitter les lieux, prenant mille précautions pour ne pas réveiller Joséphine, qui aime se lever tard. Le bal des marchands débute peu après.

Le boulanger est déjà passé à l'aube, déposant le nombre de pains correspondant à la monnaie que nous lui laissons sur le seuil de la porte. La laitière effectue sa tournée après la traite, proposant ses fromages et ses œufs frais. J'aime cette odeur d'étable qui s'échappe de l'habitacle. Le mardi, c'est l'épicier. Lorsqu'il ouvre l'arrière de son fourgon, je ne sais plus où donner de la tête. J'ignore comment il s'y prend pour faire entrer autant de choses dans un si petit espace. J'élabore les menus de la semaine à l'avance, afin de rester raisonnable, mais il m'arrive parfois d'acheter du chocolat, un rouleau de réglisse ou du Coco Boer, la friandise préférée d'Anatole. Le jeudi, c'était le volailler. Ses poulets étaient délicieux, et il avait pris l'habitude d'appliquer des promotions pour satisfaire les clients. Pour une volaille achetée, une douzaine d'œufs offerte ; pour deux volailles achetées, la troisième gratuite. Il n'a pas fait long feu. Le vendredi, c'est le poissonnier. Sa camionnette réfrigérée attire les habitants des quartiers alentour, alors il faut se hâter pour obtenir les meilleurs produits. Les marchands ne font pas que remplir nos assiettes, ils créent du lien. En fin de matinée à l'arrière du camion, je retrouve Joséphine, ainsi que Suzanne et sa fille, pour reprendre la discussion là où nous l'avons laissée la veille.

Après le déjeuner, suivant le temps, nous nous donnons rendez-vous sur la place où, munies de nos pelotes de laine et de nos aiguilles à tricoter, nous surveillons Françoise qui goûte la vie au grand air. Joséphine s'extasie à chaque sourire de ce bébé que la vie lui refuse.

Mes journées sont chargées, pourtant je ressens souvent un vide que rien n'arrive à combler. J'attends le retour d'Anatole avec un empressement que j'essaie de camoufler pour ne pas l'étouffer. Peut-être que, si je possédais un téléviseur comme Marius, je pourrais engourdir mon ennui.

Le lundi est mon jour préféré, car Rosalie ne travaille pas. Au fil des jours et des confidences, ma voisine est devenue une amie chère. Nous avons peu de points communs, elle est aussi assoiffée d'indépendance que je suis avide de sécurité, elle aime être remarquée quand j'aime passer inaperçue, elle est aussi impétueuse que je suis réfléchie. C'est peut-être ce qui m'attire tant, en elle. En l'écoutant, je vis d'autres vies sans prendre le moindre risque.

La semaine dernière, elle m'a confié un secret, j'ai le feu aux joues rien qu'en l'écrivant. Elle donnait un concert dans le café d'un grand hôtel, accompagnée d'un orchestre qu'elle n'avait jamais vu. Tout au long du spectacle, elle a senti le regard du contrebassiste sur elle. Une heure plus tard, elle faisait l'amour avec lui dans sa voiture. Elle connaissait à peine son prénom ! Avant de rencontrer Rosalie, j'aurais été prompte à juger ce genre de comportement. Maintenant, j'y vois une sorte de résistance et de liberté. C'est sans doute cela que m'apporte mon amie : de l'ouverture d'esprit.

Je culpabilise de m'ennuyer. J'ai tout ce dont je pouvais rêver : un mari doux et amoureux, une maison agréable, des amies… Tout, sauf un enfant. Est-ce ce qui me manque pour être pleinement heureuse ? Et si nous n'en avions jamais ? Suis-je condamnée à ressentir ce vide toute ma vie ? Et si un bébé ne suffisait pas à me combler ? Pourquoi ne suis-je pas comme les autres, à me satisfaire de ce que m'offre la vie ?

Chapitre 7

Je laisse un message sur le répondeur de Grégoire, puis je suis Gustave dans sa voiture. Marius est installé sur le siège passager, Rosalie à l'arrière. Je m'assieds si loin d'elle que la vitre me fait la bise.

Le trajet restera comme l'un des moments les plus traumatisants de ma vie. Gustave a vraisemblablement obtenu le permis de conduire à une époque où l'on se déplaçait à dos de cheval à travers champs. Heureusement qu'il a une boîte automatique, sinon j'aurais été envoyée dans l'au-delà – ou dans le pare-brise. Pour lui, les feux changent de couleur en fonction de la météo et les passages piétons sont décoratifs. Ceux qui croisent notre route l'ignorent, mais ce sont des miraculés.

Dieu merci, le gros problème se trouve à seulement deux kilomètres de chez nous. Gustave coupe le contact près d'une résidence en cours de construction. Nous descendons et, d'un seul mouvement, levons la tête.

Faire la mise au point me demande plusieurs secondes. Une grue. Une échelle. Une tache colorée. Petit à petit, la scène devient nette. Croyez bien que je le déplore. Jusqu'à la fin de mes jours, il me sera impossible de regarder Joséphine sans la revoir, assise à mi-hauteur d'une grue, les bras enroulés autour d'un barreau de l'échelle, uniquement vêtue d'un justaucorps fuchsia.

— Elle m'a téléphoné pour me demander de l'aide, explique Marius. Elle n'avait jamais eu le vertige jusqu'à aujourd'hui.

— Heureusement qu'elle avait pris son téléphone ! souffle Rosalie. Elle a l'air tétanisée.

— Ou décédée.

Gustave fronce les sourcils.

— Il faut que quelqu'un monte pour l'aider, décide-t-il. Qui se dévoue ?

Tout le monde semble avoir brusquement perdu l'ouïe. Gustave insiste, mais Rosalie tente de le raisonner : la réaction la plus sage serait d'appeler les pompiers. Marius s'y oppose : cela pourrait se retourner contre nous.

— Alors nous n'avons pas le choix ! s'exclame Gustave. On ne va tout de même pas la laisser là-haut !

Je hausse les épaules :

— Pourquoi pas ? Dans sa tenue de fête, Joséphine est très décorative.

— Pourquoi n'y allez-vous pas ? demande Marius à Gustave.

Ce dernier ouvre la bouche pour répondre, mais aucun argument ne semble vouloir en sortir. On dirait une carpe hors de l'eau.

— C'était bien mon intention, finit-il par dire, avant de se diriger vers la grue, précédé de son déambulateur.

— On ne peut pas le laisser faire ! s'indigne Rosalie. Il va se blesser, ce couillon !

Je secoue la tête :

— Il a survécu à soixante ans de conduite, il est invincible.

Gustave arrive au pied de l'engin et nous adresse un regard qui sonne comme un adieu. Rosalie fait le signe de croix.

Lentement, à la manière du paresseux qui grimpe à l'arbre, il franchit la première marche. La deuxième lui demande encore plus de temps. À la troisième, il s'immobilise. Arrêt sur image. Nous pensons d'abord à une crampe, mais, dix minutes plus tard, il a toujours l'air empaillé. C'en est assez pour Marius, qui consent enfin à appeler les pompiers.

Peu après, un camion rouge se gare près de nous et quatre hommes en descendent.

— Que s'est-il passé ? interroge, incrédule, l'un d'eux tandis que ses collègues s'approchent de la grue.

Prise de court, je réponds la première chose qui me passe par la tête :

— On jouait à chat perché.

Le pompier plisse les yeux :

— Et le maillot rose, c'est pourquoi ?

— C'est une grande trapéziste, réplique Marius.

L'homme, magnanime, se satisfait de cette explication avant de s'éloigner à son tour.

Marius, Rosalie et moi observons la scène avec appréhension. Gustave est le premier à descendre. Pour être tout à fait exacte, Gustave est le premier à se faire descendre. Après plusieurs minutes de négociations, les pompiers sont obligés de se rendre à l'évidence : mon voisin est incapable de bouger un membre. Tétanisé à un mètre du sol. J'ai passé ma vie entourée de champions. Il faut toute la délicatesse des sauveteurs pour le décrocher et le poser à terre. Je regrette de ne pas avoir de caméra. On dirait une étoile de mer séchée. Nous le rejoignons dès qu'il touche la terre ferme. Il nous accueille en secouant la tête :

— Je ne vois pas pourquoi vous avez appelé ces gogo-dancers, j'y étais presque.

L'étoile de mer est lucide.

Pour Joséphine, c'est plus compliqué. Près d'une heure et la grande échelle sont nécessaires pour la convaincre de lâcher la grue. Elle nous rejoint, drapée dans une couverture de survie, après avoir dû s'expliquer et promettre de ne pas retenter l'exploit.

Je ne peux m'empêcher de l'applaudir :

— Tu étais championne de trapèze au sol ?

Rosalie m'adresse un regard noir.

— Je ne sais pas ce qui s'est passé, gémit Joséphine. J'ai regardé en bas, et tout s'est mis à tourner. J'ai eu tellement peur !

Gustave lui caresse gauchement l'épaule tandis que le camion de pompiers s'éloigne. Rosalie allume une cigarette et soupire :

— Les chéris, si on ne veut pas passer pour des rigolos, il va falloir qu'on s'organise mieux que ça.

Chapitre 8

Mon endroit préféré, c'est le sommeil. Lorsque je m'y trouve, je n'ai plus d'âge. Je n'ai plus mal. La peur n'existe plus. Il m'arrive d'y croiser mes parents, ma sœur chérie ou toutes ces personnes qui n'existent plus que dans ma mémoire. Je peux courir, danser jusqu'à en perdre le souffle, serrer ma fille dans mes bras, je peux même voler. Le sommeil est un radeau auquel je m'agrippe dans un torrent qui va beaucoup trop vite.

Le plus difficile, c'est de le quitter. Oh, je serais bien malhonnête de me plaindre, j'ai eu une vie heureuse et je mesure ma chance d'être encore là, dans ce torrent, avec mon mari, alors que tant d'autres ont été engloutis. Néanmoins, sortir du sommeil m'est toujours douloureux. Les articulations, d'abord. Puis mon pauvre dos. Enfin, et surtout, les souvenirs.

Il est quatorze heures quand un long coup de sonnette m'extirpe de ma sieste. Je ne pense pas avoir besoin de vous décrire mon humeur. Je n'ouvre pas la porte, je la dégonde. De l'autre côté, Rosalie me toise :

— On improvise une réunion de crise. Rendez-vous au QG dans une heure.

— Bonjour, chère voisine.

Elle ricane :

— Marceline deviendrait-elle polie ?

— Dieu m'en garde, je rétorque en claquant la porte.

En regagnant le séjour, je découvre un Anatole hilare.

— Pourquoi ris-tu ?

— J'imagine le visage de la pauvre Rosalie quand tu as fermé.

D'un signe de tête, il m'invite à le rejoindre sur le canapé. Il est allongé, le dos calé par des coussins. Je m'assieds au bord avec mille précautions, en faisant mine de ne pas remarquer sa main qui tente de rejoindre la mienne avant de s'affaisser. Il n'a rien voulu me révéler de son rendez-vous avec le médecin.

— On devrait y aller, me glisse-t-il.

Je soupire. J'ai beaucoup réfléchi, ces derniers jours. Je n'ai aucune envie de m'acoquiner avec ces révolutionnaires en déambulateur, aucune envie de perdre le peu de temps qui nous reste à me battre contre des moulins à vent. Nos maisons vont être rasées, nos vies effacées d'un coup de gomme. Tout ce que nous mettrons en œuvre pour contrer cette décision sera vain. Je le sais, et je ne peux pas croire que mes voisins ne le sachent pas aussi.

Pourtant, depuis la première visite de Gustave, quelque chose a changé. C'est infime, presque imperceptible, néanmoins présent. Ça se passe là, sous les sourcils de mon mari, entre ses paupières plissées. Il faut bien le connaître pour la déceler, mais je ne m'y trompe pas. Elle est là. Une minuscule étincelle qui éclaire son iris d'une envie retrouvée.

— D'accord, mon chéri. Allons-y.

Tous les membres du gang sont installés au QG lorsque nous y arrivons. Mon petit-fils est en place, son ordinateur sur les genoux.

— Ça va, Lise ? lance Gustave en nous apercevant.

Rosalie glousse en entendant la blague préférée de notre voisin. Elle ferait mieux de s'abstenir, ses coutures n'ont pas l'air bien solides.

Marius nous laisse à peine le temps de nous asseoir. En bout de table, appuyé sur sa canne, il déclare d'un ton solennel :

— Les amis, l'heure est grave. L'exploit de Joséphine a mis notre petit groupe en péril. Si nous réitérons, nous perdrons toute crédibilité et notre cause avec. Nous sommes ensemble dans ce bateau, c'est ensemble que nous devons ramer. Chaque action que nous mènerons devra être préalablement validée par le groupe.

Joséphine, écarlate, a la tête rentrée dans les épaules.

— Je n'ai pas dormi de la nuit, poursuit Marius. J'ai pensé à ce que nous pourrions faire de vraiment efficace, et, j'ai beau le tourner dans tous les sens, je ne vois qu'une seule chose.

Il laisse le silence s'installer afin de ménager son effet, puis, comme si tout cela était parfaitement normal, il nous expose son idée :

— On va pousser le maire à la démission.

J'ai beau ne plus m'étonner de rien quand il s'agit de mes chers voisins, je ne peux vous cacher que leurs réactions ne sont pas compatibles avec ma tachycardie. Ils sont unanimes : c'est formidable. Fabuleux. Du pur génie. Nous ne sommes pas loin de la construction d'une statue à la gloire du mirifique Marius quand j'ose demander s'ils ont un plan.

Ils en ont un. Mieux : ils en ont plusieurs.

Je suis tentée de les abandonner à leur délire, mais, dans les yeux de mon Anatole, la mèche s'enflamme. Alors, durant deux heures, nous proposons, débattons, parlementons, jusqu'à ce qu'un plan d'action millimétré voie le jour.

Notre méthode : multiplier les petites actions.

Notre but : user le maire jusqu'à l'abandon.

Notre nom de code : opération Tête blanche.

1960

Elle a du duvet sur les oreilles et une bouche comme une fraise, elle a des joues rondes et des cheveux par-ci par-là. Elle sourit à je ne sais qui, mais je le prends pour moi, elle s'accroche à mon sein en même temps qu'à mon regard. Elle sent le lait et l'avenir, elle est douce même quand elle crie. Elle a ses pieds comme mon pouce et son pouce comme mon petit orteil. Elle fronce les sourcils quand elle a faim et ne s'endort que contre moi. Elle fait briller les yeux de son père et mon être tout entier.

Je ne m'ennuie plus. Je voudrais étirer les heures, multiplier les minutes. Je voudrais ne jamais fermer les yeux pour ne rien manquer.

Corinne a trois mois et mon cœur déborde.

Chapitre 9

Action n° 1

Il y a trois boulangeries à Trodilan. La première à côté de l'église, la deuxième en face de la Poste, la troisième au bout de la place. Les trois ouvrent à six heures du matin.

Mon réveil sonne à cinq heures. Même pour acheter le pain, je refuse d'être négligée. Je n'utilise plus la baignoire de l'étage depuis que j'y suis restée deux heures, incapable de me relever. Heureusement qu'Anatole a osé demander de l'aide à la factrice, sinon je tremperais encore.

Mon mari dort toujours. Je fais ma toilette en silence, puis me rends dans la cuisine pour avaler un café. Appuyé contre le réfrigérateur, Grégoire me fait sursauter.

— C'est moi, mamie ! s'écrie-t-il en se protégeant les yeux.

— Calme-toi, je ne suis pas armée. Que fais-tu déjà debout ?

— Je t'accompagne à la boulangerie !

— Pas question.

— Je ne te laisse pas le choix, répond le petit insolent. Pour une fois qu'il va y avoir de l'action, je veux être là !

N'ayant pas ma bombe lacrymogène sur moi, je n'ai d'autre possibilité que de céder. Je le regrette sitôt le portail franchi. Tout le trajet – que nous faisons à pied, Grégoire poussant le chariot fourni par Marius –, il inonde le silence d'inepties.

« Oh mamie, tu te souviens, on passait par là pour aller à l'école quand j'étais petit ! »

« Oh mamie, tu crois que madame Martel a su un jour que c'était nous qui sonnions chez elle avant de partir en courant ? »

« Oh mamie, je suis tellement heureux de revoir ce quartier ! »

Mamie regrette de porter ses appareils auditifs.

— Mamie ?

— Humm ?

— Papy va mourir ?

C'en est trop. Je m'arrête et me tourne vers la grande pie.

— Grégoire, tu parles plus qu'un GPS, c'est insupportable. Tes cordes vocales vont porter plainte contre toi.

Pour toute réponse, mon petit-fils accélère le pas. J'observe ses jambes, longues, fines, comme les fils d'une marionnette qui aurait été montée à l'envers, ses jambes qui menacent de s'emmêler, son dos courbé sur le chariot, j'observe cet homme que je connais si peu, et je dénoue ma gorge en détournant le regard.

Appuyé contre le mur, Grégoire règle son appareil photo quand j'arrive devant la boulangerie. J'ai parcouru deux cents mètres à la vitesse d'un lamantin, pourtant mon corps pense avoir couru un marathon.

La boulangère, affairée à ranger la vitrine, se redresse en entendant le carillon. Sa bouche porte les stigmates d'un pain au chocolat.

— Bonjour ! Vous désirez ?

— Je voudrais tous vos pains et toutes vos viennoiseries.

Elle marque un temps d'arrêt et me fait répéter. Je m'exécute.

— Je voudrais tous les pains et toutes les viennoiseries que vous avez en vitrine et sur les chariots. Je vais également prendre ceux qui ne sont pas encore cuits.

Son regard incrédule passe de Grégoire à moi.

— C'est une blague, c'est ça ?

Ma patience s'impatiente.

— Regardez-moi bien. Ai-je la tête d'une humoriste ?

— Mais, je ne comprends pas... bégaye-t-elle.

— Je suis surprise, vous avez pourtant l'air d'être une lumière. Comptez-vous me donner ce que je vous demande ou va-t-on parler de vos capacités intellectuelles toute la matinée ?

Trente minutes plus tard (dix pour remplir le chariot, vingt pour calculer le montant dû), Grégoire et moi rejoignons le QG, laissant derrière nous une boulangerie vide et une vendeuse perplexe. Les autres sont déjà sur place, Anatole est là aussi. Gustave et Joséphine ont dévalisé la boulangerie de l'église tandis que Rosalie et Marius s'occupaient de celle du centre. La table en bois déborde de pains et de viennoiseries.

Marius affiche un sourire fier :

— Bravo, camarades ! Notre première mission est un succès.

— Je n'ai toujours pas compris en quoi priver tous les habitants de pain pendant quelques heures pourrait avoir des répercussions sur le maire, murmure Joséphine.

— Moi non plus, répond Gustave, mais je me suis bien marré. Ce n'était pas ma boulangerie habituelle, alors j'ai pu sortir ma blague préférée. « Pourquoi faut-il taper son pain contre le mur avant de manger ? »

Personne ne répond, mais tout le monde sait que ce ne sera pas drôle. Pour la première fois depuis longtemps, je me sens proche de mes camarades de détresse.

— Vous donnez votre langue au chat ? Facile : c'est pour casser la croûte !

Joséphine est la seule à rire. Elle est gentille.

Marius reprend la parole pour expliquer l'intérêt de cette première action. Selon lui, le maire va recevoir des centaines de plaintes après la pénurie de pain. Cela lui donnera un aperçu de nos capacités. J'ai bien peur que l'aperçu soit trop prometteur.

— C'est quoi la suite ? interroge Rosalie.

— Il nous faut planifier la prochaine action, répond Marius. Quelqu'un a une idée ?

Le silence lui répond. Jusqu'à ce que mon cher et tendre époux s'éclaircisse la voix :

— Je pense en avoir une.

Chapitre 10

Les Octogéniaux
mènent le maire à la baguette

Nouvelle étape dans la guerre qui oppose les habitants de l'impasse des Colibris au maire de Trodilan.

Ils se sont levés à l'aube. Ce vendredi, menacés d'expulsion en vue de la construction d'un groupe scolaire, ils étaient bien décidés à ne pas se laisser rouler dans la farine.

Unis dans le désespoir, le petit groupe d'octogénaires s'est rendu dans les trois boulangeries de la commune. Afin de se sortir du pétrin, ils avaient eu une idée de génie : priver tous les habitants de leur pain quotidien. Ainsi, le maire saurait de quel bois ils se chauffaient.

Ils ont tout acheté, laissant les étals et les vitrines vides. Marius Lhomme, le leader du groupe, l'a affirmé : ce n'est qu'un début. L'impasse des Colibris n'est pas qu'une rue pour eux. C'est l'endroit qui a accueilli leurs vies. Ils sont prêts à se battre et ont conscience qu'ils ont du pain sur la planche.

À midi, une fourgonnette du Secours populaire est venue charger les baguettes, ficelles et croissants, afin de les distribuer aux plus démunis.

Espérons que, dans leur combat, les Octogéniaux au grand cœur ne fassent pas un four.

Le journal est posé sur la table du séjour, entre les tasses de café. Grégoire sourit, manifestement fier de ses jeux de mots. Il a au moins eu la pudeur de ne pas mentionner les miches de la boulangère.

— On a reçu quelques messages de soutien sur les réseaux sociaux, déclare-t-il. Les gens sont de votre côté. Faut pas lâcher.

— On ne lâchera pas ! affirme Anatole en tirant le quotidien vers lui.

Grégoire sort de la pièce pour prendre un appel. Je prépare la tartine de mon mari en silence. Grillée, avec une noisette de beurre salé et une cuillerée de confiture de fraises que je confectionne chaque été. De sa main gauche, il la trempe ensuite dans son café, puis la porte à sa bouche, non sans faire pleuvoir sur la toile cirée quelques gouttes de breuvage. Il ne se plaint jamais. Une seule fois, je l'ai entendu pleurer dans la salle de bains. Je n'ai pas voulu contrarier sa pudeur, je suis restée de l'autre côté de la porte, à pleurer avec lui. En sortant, il m'a serrée dans ses bras et m'a chuchoté une phrase que je n'oublierai jamais : « On a beaucoup de chance, ma chérie. »

Grégoire revient dans le séjour en me tendant le téléphone :

— C'est maman, elle veut te parler.

Je le saisis en grommelant intérieurement.

— Bonjour, Corinne.

— Bonjour, maman, ça va ?

— Très bien, merci.

— Grégoire m'a raconté l'épisode du pain, j'aurais payé pour voir ça !

— Humm.

— Papa va bien ?

— Très bien.

— Tant mieux. Nous, on est fatigués, mais on voit le bout du tunnel. Les cartons sont presque finis, plus que deux semaines avant le déménagement. Ça va nous faire bizarre de revenir en France après tout ce temps !

— Sans doute. Bon, je dois te laisser, Corinne, on sonne à la porte.

— D'accord, maman. Je te rappelle vite. Gros bisous !

— Oui, au revoir. Grégoire, comment fait-on pour raccrocher ce bidule ?

Mon petit-fils récupère son portable en fronçant les sourcils.

— Pourquoi tu lui as dit qu'on sonnait à la porte ?

— Ah ? On n'a pas sonné ? Il m'a semblé…

— Mamie…

J'observe le visage de mon petit-fils, son regard plein de reproches, sa moue désapprobatrice, je tends la main vers sa joue et la caresse doucement, il sourit, Anatole sourit, et je lui murmure :

— Mamie t'emmerde, mon chéri.

1963

Joséphine était la personne la plus souriante que j'avais jamais rencontrée. Je n'avais jamais vu son visage autrement que joyeux. C'était comme si ses lèvres étaient incapables d'être droites, comme si ses yeux ne voulaient qu'être plissés.

Tout l'émerveillait. Le soleil, la pluie, la neige plus que tout, un nuage dodu, un oiseau coloré, un projet, une conversation. Même lorsqu'elle se confiait, avec pudeur, sur sa douleur de ne pas réussir à devenir mère, c'était l'espoir qui dominait.

Je ne suis pas sûre que nous reverrons son sourire un jour.

Gaston est mort hier soir. Dans ses bras, alors qu'ils couraient autour de la place, comme chaque jour ou presque. Ce sont ses cris qui nous ont alertés. J'étais près des sapins, j'apprenais à Corinne à fabriquer des couronnes de pâquerettes. Tout le monde a accouru, Anatole et Marius ont essayé de le ranimer, mais il était trop tard. Il n'avait pas trente ans.

Depuis ce matin, Suzanne et moi veillons sur notre voisine. Elle n'a pas ouvert la bouche, pas versé une larme. Elle est assise sur une chaise, le dos droit, les yeux dans le vague. Nous avons essayé de la faire parler, manger, boire, mais rien ne semble vouloir la sortir de sa torpeur. Alors, on s'est assises à ses côtés, juste pour être là, présentes, pour qu'elle ne soit pas seule à affronter les souvenirs.

Gaston est partout, ici. Dans les étagères que ses mains ont poncées, dans le tapis qu'ils avaient choisi ensemble, dans les cadres qui affichent leur sourire, dans l'odeur qui flotte, dans le journal corné qu'il ne finira jamais.

Je voudrais dire à Joséphine qu'elle va s'en remettre, parce qu'il paraît que c'est ainsi, qu'on se remet de tout. Je voudrais lui promettre que, chaque jour, elle ira un peu mieux, que ce sera imperceptible, mais bien réel, et que dans quelque temps son grand sourire sera de retour, qu'elle s'extasiera de nouveau face au soleil, à la pluie, et ne parlons même pas de la neige. Je voudrais la rassurer, mais je n'y crois pas. Ce que je crois, c'est qu'il lui manquera jusqu'à son dernier souffle. Qu'elle pensera à lui chaque matin de chaque mois de chaque année, qu'elle se demandera si elle aurait pu le sauver, qu'elle imaginera une autre vie, un foyer parallèle, dans laquelle il sera. Ce que je crois, c'est qu'elle aimera sans doute un autre homme, mais d'un amour tronqué, amputé, d'un amour décoloré, sur lequel s'étalera l'ombre de l'angoisse qui ne quitte jamais ceux qui savent que tout peut basculer, comme ça, en une seconde. J'espère avoir tort, mais voilà ce que je ressens profondément. Si Anatole disparaissait, je continuerais à respirer, mais j'arrêterais de vivre.

Trois petits coups à la porte font sursauter Joséphine. Elle se lève et va ouvrir à son visiteur d'un pas las. Anatole se tient dans l'encadrement, Corinne dans les bras. À leur vue, ma gorge se serre. Le malheur de Joséphine met en exergue mon propre bonheur.

— Bonjour, Joséphine, murmure mon mari.

Sa voix tremble. Il n'a pas dormi de la nuit, ses yeux sont imprégnés de chagrin.

— Je viens vous présenter à nouveau mes condoléances, et vous assurer de ma présence si vous avez besoin de quoi que ce soit. Gaston était un ami cher, il nous manquera à tous.

Joséphine hoche la tête en silence. Avant de refermer la porte, elle caresse brièvement la joue de ma fille, puis vient reprendre sa place à nos côtés.

— Gaston n'est pas mort seul, souffle-t-elle soudain.

Suzanne et moi redressons la tête de concert.

— Gaston n'est pas mort seul, répète Joséphine d'une voix blanche. Il a emporté avec lui nos futurs enfants.

Chapitre 11

Action n° 2

Nous sommes prêts depuis des heures. Au vu de son excitation, Marius semble être prêt depuis sa naissance.

— Je crois en vous, camarades ! scande-t-il en descendant du bus.

La mairie se trouve au bout du chemin pavé. Le déjeuner se déroule à l'arrière, dans la salle des fêtes. Le peuple n'est pas convié, seuls sont présents le maire, ses conseillers et monsieur Barriot, le président du conseil départemental. Sous ses atours festifs, il s'agit bien d'une rencontre formelle : le maire souhaite que la commune soit intégrée à la communauté urbaine. Il a donc mis les petits plats dans les grands pour séduire monsieur Barriot. C'était l'occasion parfaite pour lancer notre deuxième action.

Il faut nous voir, tous alignés, trottinant vers notre cible avec détermination. Anatole n'a pas pu se passer de son fauteuil, Marius s'appuie sur sa canne, Gustave est précédé de son déambulateur ; si le maire n'avait pas encore peur de nous, cela ne saurait tarder.

Arrivés à hauteur de la salle, nous nous cachons derrière une haie de lauriers et observons la scène à travers les baies vitrées. Ils sont une trentaine, assis autour d'une longue table. Au bout, le président du conseil départemental et le maire discutent.

— Vous êtes sûrs de vous ? s'enquiert Grégoire, armé de son appareil photo.

— Non, mais cela ne nous empêchera pas d'agir ! affirme Marius.

— Tous pourris et un pour tous ! s'exclame Gustave.

— Soyons discrets et ne nous précipitons pas, rappelle Rosalie.

Elle pense sans doute que nous comptons y aller en sprintant.

Nous longeons discrètement la haie, puis le mur, et pénétrons dans le bâtiment. Des serveurs s'activent sans nous prêter attention. Marius nous rappelle le scénario, Joséphine demande quelques instants pour se glisser dans la peau de son personnage, s'installe dans le fauteuil à la place d'Anatole, puis nous entrons en scène.

Lorsque le maire nous remarque, son sourire se fige. J'espère que Grégoire a immortalisé son visage. Comme convenu, nous avançons jusqu'au bout de la table, Joséphine poussant des cris ressemblant davantage à des bêlements qu'à des gémissements. Tous les regards sont tournés vers nous. Le maire s'essuie la bouche.

— Je suis désolé, mais c'est un repas privéAN. Je vous invite à venir me voir lundiAN.

Rosalie éclate en sanglots :

— Pardon, monsieur le maire, mais c'est une urgence. On essaie d'obtenir un rendez-vous depuis des mois, mais vous n'êtes jamais disponible pour nous (elle prend la main de Joséphine). Notre amie est à l'agonie depuis que la mairie a supprimé son aide ménagère et la livraison de ses repas.

En réaction, Joséphine se met à baver.

— S'il n'y avait que ça ! s'écrie Gustave. Il devient dangereux de vivre à Trodilan, l'autre matin je suis tombé dans un trou au milieu du trottoir. J'ai été hospitalisé deux semaines et je garde une cicatrice douloureuse.

Il relève la jambe de son pantalon et dévoile la balafre qu'il doit à une partie de football en 1977.

— Sans parler de l'insécurité, ajoute Anatole. Pas plus tard qu'hier, j'ai été agressé par une bande de blousons noirs qui m'ont laissé pour mort. Depuis, je ne peux plus bouger le bras.

Joignant le geste à la parole, mon époux tente vainement de lever sa main droite.

Le président du conseil départemental nous observe, impassible. Je suis incapable de savoir s'il nous prend en pitié ou pour des fous. Le maire soupire :

— Je vous répète que ce n'est ni le lieu ni le moment. Merci de venir me voir lundiAN.

Anatole me dévisage. Je regarde autour de moi, plusieurs secondes me sont nécessaires pour me rappeler où je me trouve. Marius me fait un signe de tête. C'est à mon tour de parler. Je creuse ma mémoire à la recherche de mon texte, mais rien ne vient. Je décide donc d'improviser.

— On se sent abandonnés, monsieur le maire. Je vis dans la rue depuis deux mois, je me lave à la piscine municipale et je me nourris des rats que j'attrape dans des pièges. Mais, bientôt, il n'y en aura plus, je serai obligée de m'attaquer aux enfants du…

Un coup de coude de Gustave m'interrompt. Je dois en faire trop. Le maire se tourne vers son invité :

— Gérard, tu te souviens des habitants de l'impasse des Colibris dont je t'ai parléAN ? Eh bien tu les as devant toiAN.

Le président hoche la tête d'un air entendu. Quelques rires s'élèvent autour de la table. Si nous étions de bonne foi, nous reconnaîtrions notre échec. Mais nous avons passé l'âge de nous encombrer de convenances. Marius brandit sa canne :

— Tu as de la chance que je ne sache pas me battre, sinon je t'aurais cassé la gueule !

— T'as encore rien vu ! lance Gustave en se retournant vers la porte.

— Je vous attends lundi matin dans mon bureauAN, répète le maire sans émotion.

— On vient si on veut ! réplique Anatole.

Rosalie assène le coup final :

— Ne fais pas trop le malin, ou un jour tu te réveilleras avec la tête couverte de poux et les bras trop courts pour te gratter !

Le monde se souviendra de nous pour notre sens de la repartie.

La tête haute, le regard fier, nous nous dirigeons vers la sortie. Nous sommes à quelques pas de la porte lorsque Joséphine se retourne face à l'assemblée.

— *The show must go on !* crie-t-elle.

D'un geste assuré, elle tire sur sa robe, faisant voler tous les boutons qui la fermaient, puis fait glisser le tissu le long de ses bras, offrant à une soixantaine d'yeux éberlués le spectacle d'une vieille dame, le poing levé, un justaucorps fuchsia pour unique vêtement.

Sur le chemin du retour, personne ne pipe mot. Marius laisse échapper un grognement de temps en temps, Gustave respire fort, Rosalie grince du dentier. Le bus nous dépose au bas de la place. Le trottoir qui mène à l'impasse des Colibris est le même depuis des décennies. Ce goudron irrégulier, ces plaques de métal, ces cailloux incrustés font partie de notre quotidien. Ce trajet, nous l'avons tous fait un nombre incalculable de fois. Je ne sais pas à quoi pensent mes voisins à cet instant précis, mais je suis certaine que la nostalgie rôde.

Grégoire se précipite sur son ordinateur à peine rentré. Anatole me suit dans la cuisine.

— Que mange-t-on, ce soir ? s'informe-t-il.

— J'ai préparé des lasagnes.

— Ah.

— Tu n'en veux pas ?

— Je m'en contenterai, affirme-t-il, l'œil taquin. Mais quand tu as parlé de rats rôtis au maire, j'ai salivé.

Chapitre 12

Assis à son bureau, le maire cache mal son irritation. Il pourrait casser une noisette entre ses sourcils.

Devant lui, le journal est ouvert sur le dernier article de Grégoire : « Les Octogéniaux passent à table. » En illustration, mon petit-fils a opté pour le justaucorps de Joséphine face aux mines déconfites de l'assemblée.

Nous avons refusé de nous asseoir. Alignés face à Didier, la tête haute, nous attendons notre sermon.

— Vous savez que j'ai de l'affection pour vousAN, attaque-t-il, mais ma patience a des limitAN. Pouvez-vous me dire à quoi rimait la petite scène de vendrediAN ?

— Tu as l'air contrarié, ça ne t'a pas plu ? demande Gustave d'un ton doucereux.

— Je suis déçue, je me suis vraiment donnée à fond, ajoute Joséphine.

Anatole étouffe un rire. Le maire soupire.

— Je comprends que vous soyez chagrinés par ce projetAN, je le comprends sincèrement, poursuit-il en insistant sur le dernier mot. Moi-même, je suis tristAN. J'ai tellement de souvenirs dans ce lieuAN…

— Alors renonce ! l'interrompt Marius.

Didier fait claquer sa langue :

— Être maire, c'est penser aux autres avant de penser à soiAN. La construction d'une école supplémentaire soulagera des classes surchargéesAN. Nous n'avons pas le choix.

— Et bien sûr, c'est pas possible de la faire ailleurs ! grince Rosalie.

— Plusieurs études ont été réaliséesAN, la place est le meilleur endroit.

Il commence à m'agacer, le petit, avec ses arguments aussi solides que mes fémurs. J'avance d'un pas :

— Didier, tu veux vraiment nous faire croire que tout cela n'a aucun rapport avec ce qui s'est passé ?

Il devait s'y attendre. Immédiatement, il déclame dans un long monologue son impartialité, son dévouement à la population, son engagement qui ne souffre d'aucune entrave émotionnelle. J'observe ce visage familier à la recherche du petit garçon qui venait, des heures durant, caresser notre chat, mais je ne le trouve pas. Il a disparu sous un costume gris et de grandes tirades.

Nous nous apprêtons à prendre congé lorsqu'il toussote. Les toussotements sont de mauvais augure.

— Je dois vous annoncer que le projet a avancéAN, déclare-t-il en regardant ses mains. Une proposition financière vous sera faite d'ici la fin du mois. Si vous l'acceptez, nous vous aiderons à trouver un nouveau logement sur la communAN.

— Et si nous refusons ? fulmine Marius.

Didier soupire :

— Je vous conseille fortement d'accepterAN.

Le retour me semble plus long que l'aller. Grégoire conduit sans doute aussi vite, mais tout prend plus de temps. Le paysage défile au ralenti, la trotteuse de ma montre se traîne, seules mes pensées filent à toute allure.

Cela va vraiment arriver. Nous allons *vraiment* devoir quitter notre maison. Nous n'avons pas les moyens d'en acheter une autre, jamais celle-ci ne nous rapportera assez, et puis serait-ce bien raisonnable, alors que nous peinons à entretenir une telle surface ? Nous devrons prendre un petit appartement. Nous viderons nos placards, classerons nos objets par ordre d'importance, ceux dont on ne peut se séparer, ceux dont on doit se séparer. Je ne suis pas matérialiste, pourtant l'idée de me défaire des objets qui ornent notre quotidien me brise le cœur. Ils sont tous liés à un moment, à une personne, à une époque. C'est rassurant de vivre au milieu de ces souvenirs. Nous allons *vraiment* devoir fermer la porte. Abaisser une dernière fois la poignée blanche, rabattre une dernière fois les volets rouillés, appuyer une dernière fois sur l'interrupteur qui m'a tant fait râler parce qu'il était mal placé. Nous abaisserons une autre poignée, nous ferons entrer les meubles qui auront survécu dans notre nouveau chez-nous, nous prendrons nos marques, et, lors de l'insomnie du milieu de la nuit, à l'heure où la mélancolie le dispute à la nostalgie, on tentera de se réconforter en se disant que ce n'étaient que des pierres, que des tuiles, que c'était trop grand pour nous, et en mauvais état, et on se recroquevillera sous la couette en convoquant d'autres pensées pour camoufler celles-là.

Grégoire gare la voiture dans l'allée. Rosalie descend la première et se dirige vers son portail. Je presse le pas pour la rattraper, l'air de rien.

— Rosalie ?

Elle se tourne vers moi, une cigarette entre les lèvres.

— Toi, t'as quelque chose à me demander, dit-elle avant de l'allumer.

— Tu es tellement agréable…

— J'ai eu une bonne prof. Bon, tu veux quoi ?

Je regarde autour de nous. Grégoire aide Anatole à descendre de la voiture. Il me reste quelques secondes avant qu'ils n'arrivent. Je me penche à son oreille :

— J'ai un immense service à te demander.

Elle tire longuement sur sa cigarette en me fixant droit dans les yeux, avant de hocher la tête :

— Qu'est-ce que je peux faire ?

— Il faut que tu me promettes de ne rien dire à personne.

Ses yeux se plissent et elle me sourit :

— Ma chérie, t'es bien placée pour savoir que je sais garder les secrets.

1965

La semaine dernière, j'étendais le linge à l'arrière de la cuisine lorsqu'un chat est venu se frotter contre mes jambes. Plus je le caressais, plus il ronronnait. Il me restait une cuisse de poulet, j'ai coupé la viande en petits morceaux et rempli une coupelle de lait.

Depuis, il me rend visite tous les jours. Il reste à l'extérieur, Anatole ne veut pas d'animal domestique. Il s'installe sur une chaise, ou dans l'herbe, et il attend que je sorte. Je pourrais passer des heures à glisser ma main sur son pelage doux. Je lui parle beaucoup, parfois il me répond en miaulant. J'ignore s'il appartient à quelqu'un, dans le voisinage personne ne le connaît. Je l'ai appelé Abricot, car il en a la couleur.

Ce matin, il me rejoint alors que je sors chercher le pain que le boulanger a déposé. Cette fois, il n'est pas seul.

— Bonjour, madame Masson !

Hors d'haleine, Didier, le fils de Marie et André, cesse sa course à l'entrée du jardin.

— Bonjour, Didier !

— Il est à vous, le chat ?

— Il semble se plaire ici, en tout cas. Tu veux venir jouer avec lui ?

Le petit garçon ne se fait pas prier. Le sourire jusqu'aux oreilles, il s'assoit par terre à côté d'Abricot et le caresse doucement. Le chat grimpe sur ses genoux, sa queue vient chatouiller les narines de Didier, qui rit aux éclats.

— J'aimerais bien avoir un chat, mais mes parents veulent pas. Ils disent qu'on ne pourrait plus voyager.

— Ils n'ont pas tort.

Il tord la bouche en gratouillant la tête d'Abricot.

— Peut-être, mais quand même, j'aimerais bien en avoir un comme lui. Il est de la même couleur que mes cheveux, en plus. Je suis sûr que les autres chats se moquent de lui.

Corinne nous rejoint dans la cour, sa poupée de chiffon dans les bras.

— Les enfants se moquent de ta couleur de cheveux, Didier ? je m'enquiers.

Le petit hausse les épaules. Corinne s'assoit à ses côtés. Elle a cinq ans, lui dix, mais ils se sont toujours bien entendus.

— Tu sais comment il s'appelle ? lui demande-t-elle.

— Non.

— Abricot !

— C'est joli.

— Si tu veux, on peut dire que je suis sa maman et que toi tu es son papa, d'accord ?

Didier me lance un regard interrogateur, je hoche la tête :

— Je suis d'accord, mais attention ! Un papa a des obligations. Tu devras venir le voir au moins une fois par semaine, cela te paraît possible ?

Le sourire du petit mange tout son visage.

— Oh oui alors ! Je m'occuperai bien de lui, c'est promis !

Il serre fort le chat contre sa poitrine et lui chuchote à l'oreille :

— Ne t'inquiète pas, Abricot. Je laisserai aucun chat se moquer de toi.

Chapitre 13

Rosalie klaxonne la voiture devant elle.

— Allez, avance ! J'en peux plus des vieux au volant, faudrait leur retirer le permis !

Je me mords les lèvres pour ne pas sourire. Ce n'est pas parce qu'elle me rend service que tout va s'effacer.

— Marceline, je peux te poser une question ?

— Tu viens de le faire.

— Très drôle. Pourquoi tu m'as demandé de t'emmener ?

— Parce qu'il faut prendre trois bus pour y aller et que tu as une voiture.

— Et ton petit-fils ?

— Mais pourquoi n'y ai-je pas pensé ? Fais demi-tour, je vais lui poser la question !

Elle secoue la tête :

— Tu devrais leur dire.

— Tu devrais te concentrer sur la route.

— T'as vraiment un caractère de merde, Marceline.

— T'as vraiment une haleine de ragondin, Rosalie.

Le ragondin ne desserre plus les dents du trajet. Seule Aretha Franklin donne de la voix dans l'habitacle.

Le parking se trouve à l'arrière de la clinique. Rosalie se gare sur une place réservée aux livraisons.

— Le colis est arrivé ! raille-t-elle en coupant le contact.

Mes tentatives pour qu'elle m'attende dans la voiture étant vaines, c'est flanquée de ma chère voisine que je franchis les portes automatiques.

La salle d'attente du service imagerie est vide. Je ne patiente pas longtemps avant qu'une jeune femme n'appelle mon nom. Elle me fournit une blouse et me fait pénétrer dans une petite cabine. Je me change et retire mes prothèses auditives.

La jeune femme m'aide à m'installer sur le lit d'examen. Un grand gaillard vient lui prêter main-forte. Je réajuste ma blouse.

— Cessez de me regarder, vous allez tomber amoureux, jeune homme !

Il sourit. Ils s'éloignent. Le lit glisse à l'intérieur du tube. Le tintamarre débute.

Je n'ai pas peur. Je connais déjà le résultat.

J'avais huit ans la dernière fois que j'ai vu ma grand-mère Simone. Elle fixait le mur lorsque je suis entrée dans sa chambre. Elle m'a regardée, a souri et m'a demandé qui j'étais.

— Je suis Marceline, grand-mère !

— Marceline ? Un joli prénom pour une jolie petite fille !

Mon cœur s'est brisé comme un biscuit sec. Ma grand-mère avait oublié mon prénom, mon visage, son âge, sa vie, et, par-dessus tout, elle avait oublié d'être méchante. Elle n'existait plus.

Rosalie fume une cigarette devant l'entrée de la clinique lorsque je sors.

— Alors ?

— Mon gériatre me donnera les résultats la semaine prochaine.

Elle pose sa main sur mon épaule.

— Tu devrais vraiment en parler à Anatole.

Je n'ai pas le temps de réagir, elle est sauvée in extremis par deux jeunes hommes qui l'interpellent.

— Eh ! Vous êtes la vieille du journal ! Je vous reconnais, avec vos grosses lunettes rondes.

— Je ne suis pas vieille, petit malotru ! J'ai beaucoup d'expérience, nuance.

Les deux pouffent et s'approchent de nous.

— On est à fond avec vous, faut pas vous laisser faire ! affirme le premier.

— Grave, c'est dégueulasse de vous virer de chez vous ! renchérit le second. Ils pourraient attendre votre mort au moins…

Je leur tends la main :

— Messieurs, je m'appelle Marceline, enchantée. Je suppose que vous venez à la clinique pour vous faire greffer un cerveau ?

— Pouah ! Comment elle nous a cassés, la vieille !

— Elles sont magiques, frère ! Faut qu'on fasse un truc pour les aider.

— Nous dire au revoir ? je propose.

Nous profitons de leur hilarité pour battre en retraite et regagner la voiture. Nous sommes presque arrivées quand ils nous rattrapent en marchant tranquillement.

— Eh, les expérimentées ! On a une idée !

1967

C'est la troisième fois que nous partons en vacances. Le coffre de la 404 est plein, Anatole fredonne tandis que Corinne lit, allongée sur la banquette arrière. La route est longue, mais la destination le mérite.

La première fois, c'est le hasard qui nous a guidés à Morgat. Le deuxième séjour a confirmé notre ressenti. Le dernier soir, nous avons décidé que, chaque année, c'est ici que nous viendrons passer nos congés.

Le camping se trouve à quelques centaines de mètres de la plage. Notre caravane, une petite folie achetée à crédit, est installée à l'ombre d'un pin. Le planning de nos journées est immuable : nous prenons le petit-déjeuner sur la table pliante posée au soleil, puis Corinne et moi partons au marché pendant qu'Anatole lit le journal. Nous empruntons le chemin des falaises, c'est plus long, mais la vue sur l'océan est exceptionnelle. Corinne ne cesse de s'extasier sur cet horizon plein de promesses.

— Tu imagines, maman, de l'autre côté, c'est l'Amérique ! Tu crois qu'en ce moment une petite fille regarde vers nous en pensant à la France ?

— C'est possible, ma puce. Peut-être qu'elle pose la même question à sa mère.

Elle jure qu'elle ira, un jour, et même qu'elle trouvera un mari américain et qu'elle vivra là-bas. Je la laisse échafauder ses projets en espérant qu'ils se réaliseront, mais pas trop vite. Comme si elle lisait dans mes pensées, elle finit invariablement par ajouter qu'elle m'emmènera avec elle, parce que nous habiterons toujours ensemble.

Il nous arrive de déjeuner au camping, mais, le plus souvent, nous pique-niquons près de la plage, sur des tables en bois installées pour les vacanciers. Mes sandwichs au poisson ont les faveurs d'Anatole. Après une balade digestive, parfois agrémentée d'une glace, nous passons le reste de la journée sur le sable. Mon mari et ma fille se jettent dans l'eau à peine arrivés. Je prends le temps d'installer nos affaires, non parce que je suis plus organisée, mais parce que je suis plus frileuse. Chaque jour, l'eau est plus froide que dans mes souvenirs. J'ai l'impression que mes membres s'engourdissent les uns après les autres, je m'immerge progressivement, sous les encouragements et les moqueries d'Anatole et de Corinne. Mon mari affirme que, au bout de quelques minutes, la sensation de froid disparaît. Je ne suis jamais restée assez longtemps pour m'en assurer. Le sable chaud reste mon endroit favori pour observer ma famille et garnir les étagères de ma mémoire.

Les souvenirs sont mes biens les plus précieux. Il m'arrive de penser à ma grand-mère, qui les a perdus les uns après les autres, de me demander ce qui se passe dans une tête dévalisée de son histoire. Peut-on s'émouvoir de l'odeur de l'herbe fraîchement coupée si elle ne nous renvoie pas à nos après-midi d'enfance ? Peut-on frissonner en entendant Ella Fitzgerald alors qu'elle ne rappelle aucune soirée délicieuse ? Peut-on avoir envie de se lever quand on ne sait plus ce qu'est un matin ? Le présent importe-t-il quand le passé s'est évaporé ?

Corinne joue dans les petites vagues du bord sans quitter des yeux son père, parti nager au large. À son retour, il roulera avec elle dans l'écume et l'encouragera dans ses premières tentatives de brasse. Il lui donnera du temps, celui qui lui manque si souvent à la maison, et elle saisira la moindre seconde, la savourera et, les jours où l'émotion fera voler sa réserve, elle le gratifiera d'un baiser sur la joue ou d'un rapide câlin.

C'est sans doute pour cette raison que je chéris tant nos vacances estivales. Parce qu'il a tout son temps, parce qu'elle a tout son sourire, parce que j'ai tout mon bonheur.

Chapitre 14

Action n° 3

Marius a été le plus difficile à convaincre. Quand une idée ne vient pas de lui, elle est mauvaise. Joséphine a immédiatement validé, Gustave a applaudi, Anatole m'a fait confiance. Seul contre tous, Marius n'a eu d'autre choix que d'abdiquer. En découvrant les détails de notre nouvelle action, je regrette qu'il n'ait su nous faire plier.

Le décor est planté sur la place. Tout le groupe des Octogéniaux est réuni devant les sapins. Brahim et Tristan, les deux jeunes rencontrés à la clinique, sont venus avec des amis et se sont chargés des costumes. Grégoire effectue les derniers réglages sur sa caméra.

— Vous êtes sûrs de vous ? s'enquiert une dernière fois Gustave.

— Je ne suis plus sûr de rien, soupire Marius en observant sa tenue.

Il porte une casquette et un tee-shirt large à l'effigie d'une personne aux dents dorées. Gustave, qui ne cesse de répéter « YO », est orné de grosses chaînes et de bagues pouvant servir à enfoncer des clous. Mon Anatole est affublé de lunettes de soleil masquant la majeure partie de son visage, d'un bandana sur la tête et d'un pantalon dans lequel il pourrait faire la grosse commission sans que personne ne s'en rende compte. Les femmes ne sont pas épargnées. Rosalie est vêtue d'un survêtement en velours léopard et de baskets dorées, Joséphine affiche son justaucorps fuchsia sous une robe en filet, et j'ai l'immense chance de porter un jean qui comporte plus de trous que de tissu et des anneaux d'oreilles dans lesquels je pourrais faire du hula-hoop. Notre dignité s'est désintégrée.

Brahim se poste à côté de la caméra et brandit une pancarte :

— Si vous oubliez votre texte, regardez par ici !

— C'est écrit trop petit, gémit Joséphine.

Je ricane :

— Personne ne peut oublier des paroles si inspirées.

— Faites-nous confiance ! s'exclame Tristan. Vous allez tout déchirer grâce à notre texte. Allez, en place, on va faire une première prise ! Le caméraman est prêt ?

Grégoire confirme :

— Ça tourne !

La musique se lance. Gustave attend le signal pour chanter sa partie.

Yo !
J'habite dans une maison
Aussi vieille que ton daron
Quand j'y suis arrivé
Du lait me sortait du nez

C'est au tour de Joséphine, qui appuie son propos par de grands mouvements de bras. Par sécurité, je m'écarte d'elle.

J'ai vécu toute ma vie
Dans l'impasse des Colibris
Tu veux la raser, le maire
Comme la moustache de ta mère

Anatole entre en scène. J'espère que mes sentiments résisteront à ce spectacle.

On nous prend pour des déchets
On voudrait nous recycler
Faudrait pas que monsieur le maire
Nous prenne pour des Tupperware

Rosalie enfile sa capuche et se lance, menton haut, bras croisés :

Le maire a décidé,
Nous on doit abdiquer

Si je n'avais pas d'arthrose
Il aurait des ecchymoses

Marius tripote son pendentif, qui représente un dollar :

Notre maison va s'écrouler
Notre vie va s'effacer
Frère, touche aux Colibris
Tu finiras en confettis

C'est à moi. Les autres tapent dans leurs mains, Rosalie fait des vocalises, Gustave secoue sa tête au rythme de la musique, Anatole me souffle les paroles. Malheureusement, je ne m'en souviens que trop bien.

On en a marre de tes bobards
On va sauver notre tier-quar
On a traversé une guerre
Alors va niquer grand-mère

Coupez.
Je vais me laver la bouche.

Chapitre 15

De mon temps, on ne choisissait pas vraiment ce que l'on aimait ou non. Il y avait les choses qui se faisaient et les autres, la seconde catégorie étant bien plus fournie que la première, surtout si l'on était née avec un vagin. La personnalité était ensevelie sous les convenances.

En vieillissant, l'inverse se produit. Le bon ton se fait tout petit et le caractère s'épanouit. Après tant d'années à être maîtrisé, c'est un cheval sauvage qui fait voler les barrières et saute les haies de la courtoisie. J'aime beaucoup monter ce cheval.

J'ai longtemps cru être discrète. « Arrête de faire ton intéressante », ne cessait de me répéter mon père. J'ai obéi au point d'intégrer cette attitude au rang de mes qualités. Il aura fallu que j'atteigne un âge avancé et que je pousse la chansonnette face à une caméra pour me rendre compte que me faire remarquer me plaisait beaucoup.

Face à l'ordinateur de Marius, il m'arrive une chose inédite : je peine à cacher mon sourire. Si j'en crois mon voisin, plus de cent mille personnes ont visionné la vidéo de notre rap.

— Vous faites le buzz ! s'enthousiasme Grégoire. Il y a des centaines de commentaires, les gens vous adorent !

Je n'ai jamais vu mon petit-fils aussi agité. Lui d'ordinaire si nonchalant, capable de piquer du nez au beau milieu d'une phrase, semble avoir découvert son système nerveux.

Gustave, qui se balade désormais avec une chevalière en forme de crâne, est émerveillé.

— Alors là, les bras m'en tombent ! Je vais les ramasser avant qu'on marche dessus.

Face à cet écran, nous sommes des enfants de six ans.

Le téléphone de Grégoire sonne, il sort de la pièce pour prendre l'appel. Joséphine murmure :

— C'est quoi, le zob ?

Marius avale sa salive de travers.

— Pourquoi diable posez-vous cette question, Joséphine ?

— Eh bien, pour comprendre de quoi parle Grégoire. Il a dit qu'on faisait le zob, qu'est-ce que c'est ?

— Le buzz ! la reprend Anatole. Il a dit le buzz, pas le zob ! Ce n'est pas tout à fait la même chose.

Mon époux semble ne plus pouvoir s'arrêter de rire. Je l'aide en lui assénant une tape derrière la tête.

— Aïe ! Mais qu'est-ce qui te prend ? se plaint-il.

— Pardon, c'était un spasme. Comment connais-tu ce mot ?

— Je ne le connais pas, répond-il en regardant partout sauf dans mes yeux.

— Alors pourquoi ris-tu ?

— Je ne ris pas.

— Bien.

— Et toi ? Comment le connais-tu ?

— Je ne le connais pas, je réponds en regardant partout sauf dans ses yeux.

— Alors pourquoi me réprimandes-tu ?

— Je ne te réprimande pas.

Rosalie laisse échapper un gloussement à l'instant où Grégoire revient. On dirait qu'il a vu le Messie.

— Vous n'allez pas y croire ! lance-t-il en se laissant tomber sur une chaise.

— Le maire abandonne son projet ? propose Marius.

— Le maire démissionne ? tente Gustave.

— Le maire a été tué par un dinosaure ? demande Joséphine.

Le cerveau de Joséphine est parti à la retraite. Mon petit-fils met fin au suspense : le journal télévisé régional veut consacrer un reportage à notre combat. Une équipe viendra nous filmer dans deux jours. Les Octogéniaux jubilent, Marius est obligé de s'allonger pour calmer son cœur, Rosalie improvise une danse, Joséphine fait des moulinets avec les mains, mais un seul spectacle me fascine. Dans les yeux de mon Anatole, c'est la fête nationale.

1968

Depuis son retour des États-Unis, Rosalie prend des cours de danse. À Broadway, les artistes de music-hall et les meneuses de revue l'ont fascinée et convaincue qu'elle devait ajouter la danse à ses talents si elle voulait faire carrière de l'autre côté de l'Atlantique.

— Darling, tu devrais venir en faire avec moi ! s'exclame-t-elle en esquissant quelques pas.

Corinne est couchée, Anatole s'est assoupi sur son fauteuil. J'ai rejoint ma voisine sous les sapins, comme souvent les soirs où le soleil veille tard.

Je hausse les épaules. Je n'ai jamais envisagé d'avoir une activité. Elle ricane :

— Allez, viens, tu vas adorer ! insiste-t-elle. C'est juste une fois par semaine, le mercredi soir, tu ne t'éloigneras pas longtemps de ta famille chérie.

— Ce n'est pas le propos.

— Bien sûr que si, Marceline. Peux-tu citer un loisir, quelque chose qui te donne du plaisir ?

Je n'ai pas besoin de réfléchir longtemps :

— Je jardine, je cuisine, je tricote, je…

Rosalie lève les yeux au ciel :

— Formidable ! Tu prépares de bons petits plats à ton mari et de belles petites robes à ta fille.

— Tu es mauvaise ! J'ai beaucoup de plaisir à m'occuper d'eux.

Elle allume une cigarette en me dévisageant :

— D'accord, si tu le dis. Mais pour toi, rien que pour toi… que fais-tu ?

Je reste pensive un moment. Je préfère ne pas répondre pour ne pas être désagréable. Rosalie n'est pas une femme comme les autres. Elle est libérée. Je ne connais aucune mère de famille qui quitte son foyer pour s'adonner à des loisirs, surtout s'ils consistent à se donner en spectacle. Cela ne se fait pas.

Mon amie met fin au silence :

— De toute manière, le sujet est clos, il est évident qu'Anatole refuserait que tu fasses de la danse.

— Mon mari ne m'interdit rien ! je m'exclame, piquée au vif.

— Demande-lui donc, réplique-t-elle dans un sourire moqueur.

La nuit est tombée lorsque je rentre. Anatole est toujours dans son fauteuil, mais ses yeux sont grand ouverts.

— Où étais-tu ?

— Sur la place, avec Rosalie.

— Je n'aime pas trop que tu fréquentes cette femme. Elle a mauvaise réputation.

Je m'assieds sur ses genoux et lui caresse la joue.

— Elle est gentille, je me fiche de ce que disent les gens.

— Moi pas, rétorque-t-il en repoussant ma main.

Je reste muette face à ce rejet. Sans manière, mon mari se lève, m'obligeant à faire de même, puis s'éloigne vers l'escalier pour aller se coucher. Il va passer la porte quand j'entends ma voix s'échapper :

— Je voudrais faire de la danse avec Rosalie.

Il s'arrête, mais ne se retourne pas. Je m'adresse à son dos, sans oser le rejoindre :

— C'est une fois par semaine, à la salle communale. Il n'y a que des femmes, le cours dure à peine une heure.

Aucune réaction. Aucun mouvement. Aucun indice. Il demeure figé pendant plusieurs secondes, puis reprend sa marche en lâchant, dans un souffle :

— Non.

Dans mon ventre, c'est une détonation. Une déflagration de révolte, une déferlante de rage. C'est silencieux, c'est ravageur, ça me tétanise et me galvanise à la fois. Je reste plantée là, glacée, tandis qu'une certitude prend possession de mon esprit : mercredi prochain, j'irai danser.

Chapitre 16

Je me lève toujours la première. J'enfile ma robe de chambre et mes chaussons, je lance la cafetière, je fais ma toilette, puis je m'installe dans le fauteuil face à la porte-fenêtre. Là, je laisse le soleil m'envelopper de chaleur pendant que je lis. C'est l'un de mes moments préférés de la journée, et c'est encore meilleur en hiver.

Ce matin, pourtant, le lit est vide quand je me réveille. Anatole est assis à la table du séjour, l'air songeur. Il me fait signe de le rejoindre. Je le fais patienter et file dans la salle de bains.

Le miroir est impitoyable.

Parfois, pendant quelques secondes, pendant quelques minutes, j'oublie mon âge. Je me promène dans mes souvenirs, je voyage dans ma mémoire. Puis, mes yeux croisent mon reflet. Ma peau semble avoir été froissée par une main cruelle, mes cheveux, autrefois si épais, ne couvrent plus grand-chose de mon crâne, mon cou pendouille et mes paupières plongent. Je suis vieille et je ne l'ai pas vu arriver.

J'étais belle, autrefois. Mais je ne le savais pas.

C'est maintenant que je m'en rends compte. Sur les photos, je ne vois pas ce que je voyais alors.

Lorsque je rejoins Anatole, il n'a pas bougé. Je m'assieds à ses côtés, il lève péniblement le bras pour prendre ma main.

— Ma chérie, si tu avais un problème de santé, tu me le dirais ?

— Bien sûr, quelle question !

— Tu me le promets ?

— Oh, écoute, tu me fatigues ! dis-je en retirant ma main. Que veux-tu que je te promette ? Je vais très bien !

Ses yeux s'emplissent de larmes. Sa mâchoire se contracte.

— Mais enfin, que se passe-t-il, Anatole ?

— Je t'aime, murmure-t-il.

— Mais moi aussi, je t'aime, qu'est-ce que tu vas chercher !

— J'aurais dû te le dire plus souvent. Je n'aurais pas pu être plus heureux qu'à tes côtés, mon amour.

— Mon chéri, regarde-moi bien. Est-ce que j'ai l'air mourante ? Non. Alors arrête tes niaiseries, je te prie. Tu veux un café ?

Il hoche la tête. Je me lève et me dirige vers la cuisine, caressant son épaule au passage.

Les volets sont encore fermés. Je les ouvre machinalement, l'air frais du matin envahit la pièce. L'arrière de la cuisine est à l'ombre. Je verse du lait dans une petite soucoupe et sors en faisant claquer ma langue. Étrange, Abricot devrait être là. À cette période de l'année, il dort en boule sur la chaise de jardin.

— Abricot ?

Il ne vient pas. J'espère qu'il ne lui est rien arrivé.

— Abricot, allez, viens, minou !

Rien. Je regagne la cuisine, inquiète. Anatole se tient près de l'évier. Il est vieux. Abricot n'existe plus. Mon mari ouvre ses bras, je me blottis dedans et laisse couler mes larmes.

1969

Depuis près d'un an, chaque lundi matin, je danse. Rosalie nous a trouvé un autre cours, en journée, pour ne pas éveiller les soupçons d'Anatole. Nous n'avons plus jamais évoqué mon envie de danser. Mes tenues sont cachées dans le placard à linge de maison, dans lequel il ne s'aventure jamais, et, sur le trajet, je ne quitte pas mon chapeau et mes lunettes de soleil. Les gens parlent beaucoup.

Je n'ai jamais rien caché à mon époux. Je fais taire ma culpabilité en lui concoctant un dîner élaboré chaque lundi soir. Il ne se doute de rien.

Dans quelques minutes débutera le spectacle de fin d'année. Dans un premier temps, j'avais décidé de ne pas y participer, le public y est nombreux et le risque d'être reconnue trop grand. Mais un sentiment d'injustice a germé en moi. Il s'est nourri de tous ces petits obstacles de mon quotidien de femme, il a poussé durant les événements de 1968, il a déployé ses branches dans mon corps, m'empêchant parfois de trouver le sommeil, alors j'ai décidé de ne plus l'arroser.

Anatole est dans le public, assis aux côtés de Corinne et de mon siège vide. Il croit que j'ai gagné trois entrées à la loterie de l'école. Je suis dans les vestiaires, en train d'ajuster ma coiffure.

— C'est bientôt à nous, chérie ! me souffle Rosalie. Comment tu te sens ?

— J'ai le cœur qui bat dans tout mon corps.

Elle m'enlace rapidement, félicitation silencieuse, et nous franchissons le rideau qui nous sépare de la scène.

Anatole est au fond de la salle. Il ne quitte pas la porte du regard. En arrivant, je lui ai dit que j'avais une petite chose à régler, que je les rejoignais vite. Il m'attend. Corinne écarquille les yeux au moment où la musique commence. Elle tapote le bras de son père et tend l'index vers moi. Ma fille sourit. Mon époux, non.

Nous commençons par un madison. Je laisse mes jambes me porter, je m'abandonne à la musique, comme le lundi matin. On enchaîne avec le twist. Tout le monde nous regarde, mon mari est figé, mais je n'ai pas peur. Portée par les instruments, entourée de mes amies de parquet, je me sens libre. Le mashed potatoes débute. C'est ma chorégraphie préférée. J'ai l'impression de m'envoler. Anatole se lève dès les premières notes. Il saisit la main de Corinne et l'entraîne vers la sortie, obligeant les spectateurs à se lever. Je m'interromps et me tourne vers Rosalie, qui secoue la tête en souriant. Je ferme les yeux. J'inspire. Et je reprends la danse.

Corinne est couchée quand je rentre. La maison est silencieuse. Anatole est assis dans son fauteuil. Je tire une chaise et m'installe face à lui.

— Pourquoi es-tu parti ?

Aucune réponse. Il fixe un point derrière moi.

— Chéri, j'ai voulu t'en parler des milliers de fois, mais je connaissais ta réaction.

— Alors tu as préféré m'humilier devant tout le monde.

— T'humilier ?

— Et me mentir.

— Je suis désolée que tu le prennes ainsi... Je ne voulais pas te faire de mal, je voulais juste danser. Toi, tu vas à la pêche avec Gustave, tu joues au tennis avec ton collègue, pourquoi n'aurais-je pas le droit d'avoir une activité ?

Il secoue la tête et répond, comme une évidence :

— Parce que tu es ma femme.

Sa réponse me tord le ventre.

— C'est injuste, Anatole ! Tu vois bien autour de nous que les mentalités évoluent. Joséphine fait du trapèze, Gaston n'y trouvait rien à redire, Blanche s'adonne à la peinture sur soie, rien qu'à mon cours de danse, il y a au moins cinq femmes mariées !

Il soupire longuement.

— C'est pour te protéger. C'est mon rôle. Tu n'es pas heureuse ? Notre famille ne te suffit pas ? Je travaille comme un titan pour nous offrir une belle vie, et toi tu en veux plus !

On se dévisage durant de longues secondes, bras de fer silencieux. Dans mes veines infuse la sève de mon sentiment d'injustice. J'en ai assez d'abdiquer sans me battre. J'en ai assez que l'on me dicte ma conduite. J'ai trente-quatre ans et, pour la première fois de ma vie, je vais décider pour moi-même.

— Anatole, mon chéri, je suis une épouse et une mère comblée, tu le sais. Tu es un mari et un père attentionné, et, par-dessus tout, tu es l'homme que j'aime. J'aime ton humour, j'aime ta droiture, j'aime ta générosité, j'aime ta sensibilité, j'aime nos longues discussions, nos fous rires et notre complicité, j'aime m'endormir et me réveiller à tes côtés, j'aime ta voix, tes caresses, j'aime quand tu t'assoupis sur le fauteuil et que je te réveille d'un baiser, j'aime ton regard sur moi, j'aime nos projets. On a beaucoup de chance de s'être trouvés. De mon côté, je fais mon possible pour rendre notre foyer agréable, et je pense que tu n'as pas à te plaindre. Je suis désolée si je t'ai fait de la peine ce soir. Je vais aller me coucher, et j'espère que demain tu seras moins fâché. Nous en reparlerons si tu le souhaites, mais je ne changerai pas d'avis. Les cours de danse s'arrêtent pendant l'été et, dès la rentrée, j'y retournerai. Bonne nuit, mon chéri.

Chapitre 17

— Chut, ça commence !

Installés dans le séjour de Marius face à son téléviseur, nous attendons le reportage qui nous est consacré. Je n'ai jamais vu un écran aussi grand, je comprends mieux pourquoi il a de l'arthrose cervicale.

La caméra se promène d'abord dans l'impasse, filme les maisons, les jardins, s'attarde sur la place, tandis qu'une voix retrace la genèse de notre combat. Un extrait du rap est ensuite diffusé, puis le maire est interrogé. Marius n'est pas loin de casser le poste, avant de se rappeler que c'est le sien. Il se rassoit au moment où nous apparaissons, en arc de cercle sur la place.

Le jour du tournage, lorsque nous avons rejoint Grégoire et les journalistes près des sapins, j'ai vu dans le regard de mon petit-fils que nous avions peut-être légèrement exagéré. Il nous avait conseillé de nous mettre sur notre trente et un. Les téléspectateurs du journal télévisé n'auront jamais vu un groupe d'octogénaires si bien mis.

Les hommes sont en costume trois pièces, Gustave a même exhumé une veste queue-de-pie. Joséphine a enfilé tous ses bijoux et, comme elle n'avait pas assez de doigts, elle porte des bagues en pendentif. Rosalie est tellement maquillée qu'on croirait qu'elle vient de croiser Mike Tyson. Je suis perchée sur des talons qui menacent de m'envoyer valdinguer à chaque pas. Pour éviter l'accident, Gustave m'avait prêté son déambulateur.

— Pourquoi tenez-vous à rester dans votre maison ? demande le journaliste.

— Car nous y avons tous nos souvenirs ! répond Gustave. C'est ici que mes enfants sont nés, c'est ici que mon épouse a poussé son dernier soupir, c'est ici que je veux finir ma vie.

— Le maire affirme comprendre votre désarroi, mais estime que l'avenir des enfants est prioritaire. Qu'en pensez-vous ?

Le reporter tend le micro à Rosalie. Mauvaise idée.

— Darling, on sait tous qu'il ne s'agit pas de ça. C'est une histoire d'ego, le maire a soif de pouvoir, et ça laisse peu de doute sur la taille de son pénis.

Le journaliste devient blême. Marius attire le micro vers lui.

— Une nouvelle école est indispensable pour la commune, c'est certain ! Mais il suffit de consulter le cadastre pour s'apercevoir qu'il y a au moins dix autres endroits où elle pourrait être construite. Pourquoi choisir l'impasse des Colibris ?

— On sait bien pourquoi, affirme Joséphine d'un air entendu.

Le regard du reporter s'allume. Il lui donne la parole.

— Je n'entrerai pas dans les détails, mais je voudrais faire passer un message au maire, si vous permettez.

— On vous écoute.

— Didier, mon petit, reviens à la raison. Tu sais bien que cela ne pourra pas effacer ce qui s'est passé…

Pressentant qu'elle va trop en dire, Anatole lui coupe la parole :

— On demande juste à finir nos jours dignement, on a travaillé toute notre vie pour cela. Ce serait inhumain de nous jeter dehors.

Le reporter remercie mon mari et revient à Joséphine.

— Madame, quand vous parlez de « ce qui s'est passé », à quoi faites-vous allusion ?

— Ce n'est rien ! intervient Gustave. De vieilles histoires. Dites, vous savez pourquoi les éléphants n'aiment pas l'informatique ?

Le reportage se termine sur les témoignages d'autres habitants de la commune. Certains sont de notre côté, d'autres soutiennent le maire, ce qui a le don de mettre Marius hors de lui.

Il éteint le téléviseur et se poste face à nous.

— On s'en est bien tirés, bravo camarades !

— Oh oui ! je me gausse. Bravo camarades, c'était une riche idée de raconter une blague idiote et de mentionner le pénis du maire.

— Marceline est choquée ! ironise Rosalie en tirant une cigarette du paquet. Je t'ai connue moins frileuse.

Je m'apprête à lui répondre en appliquant la méthode de communication non verbale du pied dans le tibia quand Gustave s'interpose.

— Parce qu'ils ont peur des souris, glousse-t-il.

Tous les regards se posent sur lui, personne ne semble comprendre.

— Les éléphants ! explique-t-il. Ils n'aiment pas l'informatique parce qu'ils ont peur des souris. Elle est drôle, hein ?

1971

Rosalie me manque. J'aime toujours autant danser, je m'y rends même désormais deux fois par semaine, sans qu'Anatole fasse le moindre commentaire, mais il y a un vide à la place de sa présence.

Elle m'a encore écrit la semaine dernière pour me raconter son aventure américaine. Après avoir chanté sur les trottoirs new-yorkais avec un groupe de jazz, elle a été repérée par un imprésario et intégré une revue à Broadway.

« Je n'ai pas un rôle important, mais j'ai tout de même un solo de plusieurs secondes et, chaque dimanche, je remplace la meneuse de revue. Tu n'imagines pas, ma chère Marceline, comme je suis heureuse. Je réalise mon rêve de toujours, et la réalité est encore plus belle ! Les costumes sont magnifiques, les clients nous couvrent de fleurs et nous sommes traitées comme des princesses. Oh, il y a bien quelques coups bas avec les autres danseuses, mais tu me connais, je ne suis pas du genre à me laisser faire. L'autre fois, quelqu'un a décousu ma robe, je n'ai pas pu entrer en scène. J'ai identifié la coupable et attendu qu'elle baisse sa garde, puis, dans son vaporisateur de porcelaine, j'ai remplacé le parfum par de l'encre de Chine. »

Je ris en lisant ses mots. Nous arrivons bientôt au terme des six mois que Rosalie avait prévu de passer aux États-Unis. Je pressens que le séjour va être prolongé et, si j'en suis heureuse pour elle, j'en suis triste pour moi. Je m'occupe de son courrier et d'aérer sa maison, parfois je bois un café dans sa cuisine ou je passe un peu de temps devant sa télévision, j'injecte de la vie dans son foyer en pause.

Je passe beaucoup de temps avec Suzanne et Joséphine, je les apprécie beaucoup, je peux même dire qu'elles sont devenues des amies. Néanmoins, je ne peux leur confier mes pensées les plus intimes comme je le fais avec Rosalie.

La cloche de l'école me tire de ma rêverie. Comme d'habitude, ma fille est la dernière à sortir. Elle m'embrasse furtivement, elle a atteint l'âge auquel on n'aime plus ses parents en public, et, comme chaque jour, nous cheminons vers la maison en nous racontant nos journées respectives. Mais, ce soir, Corinne a l'air soucieuse.

— Maman, me dit-elle alors que nous traversons la place, la mère de Mireille a déchiré tous ses carnets de dessins.

— Ah bon ?

— Oui ! s'exclame ma fille d'un air consterné. Elle voulait la punir de ne pas avoir eu de bon point à l'école. Mireille n'a fait que pleurer, on a dû la consoler. Avec Monique, on lui a fabriqué un nouveau cahier avec des pages blanches, mais ça ne remplacera pas les autres. Sa mère est méchante, je n'aurais pas voulu être sa fille. Tu es bien meilleure qu'elle !

Je m'esclaffe, touchée par cette déclaration spontanée. Ma fille renchérit :

— Mais c'est vrai, tu es la meilleure des mamans ! Je ne me marierai jamais, je resterai toujours avec toi et papa.

— Tu changeras d'avis, ma chérie.

— Jamais ! Je le jure sur Poupina !

Je caresse les cheveux de ma fille adorée en me remémorant un vieux souvenir.

Adèle, mon amie d'enfance, était venue passer la journée à la maison. Nous jouions dans le pré quand deux grandes filles étaient venues nous chahuter. L'une d'entre elles avait fini par me tirer les cheveux. Nous étions rentrées au pas de course chercher du réconfort auprès de mes parents. Quand j'ai raconté la mésaventure à mon père, il m'a demandé d'approcher. Je me suis exécutée, émue à l'idée de recevoir l'un de ses rares câlins. Alors, il a attrapé ma natte et tiré de toutes ses forces, me pliant en deux de douleur et de honte. « Elle a tiré comme ça ? » s'est-il enquis. J'ai couru me réfugier dans ma chambre, suivie par une Adèle désolée. Ma mère est venue nous rejoindre quelques instants plus tard. « Tu sais bien que ton père n'aime pas les pleurnichards », a-t-elle expliqué. Je n'ai rien répondu, mais j'ai mentalement compté les jours qui me séparaient de ma majorité.

Chapitre 18

Grégoire jure qu'il m'a prévenue. Menteur. Jamais je n'aurais pu oublier que sa femme et ses deux enfants venaient passer le week-end chez nous. Preuve supplémentaire : s'il me l'avait vraiment annoncé, comme il le prétend, cela signifierait que j'ai accepté, ce qui est tout bonnement impossible.

Ils sont arrivés depuis une minute que, déjà, j'ai envie de m'enfermer dans le placard. Grégoire passe deux jours par semaine chez nous, si maintenant il invite sa famille, je vais aller habiter ailleurs.

Sa femme s'appelle Marie-Laure, ou peut-être Marie-Claire. Ses enfants sont presque aussi grands que moi. L'aînée a tellement de boutons que je la soupçonne d'y mettre de l'engrais. Le cadet a une mèche de cheveux qui doit le priver de cinq dixièmes aux yeux. C'est la deuxième fois que je les vois, il était venu nous les présenter voici quelques années.

— Mémé, on s'installe où ? demande la grande.

Appelle-moi mémé encore une fois et tu t'installeras dans un cercueil.

— Vous allez prendre la chambre bleue à l'étage, répond Grégoire. J'ai prévu des matelas gonflables, ça va être génial !

— Super, soupire le petit, manquait plus que le camping. Où sont les toilettes à la turque ?

Ils font tellement de boucan en montant les escaliers que la maison vibre. Je me tourne vers Anatole, qui sourit béatement. Cet homme est un mystère : plus il avance en âge, plus il est serein. Heureusement que nous arrivons au bout, sinon il deviendrait moine.

— À ce rythme, la maison n'aura pas besoin d'être démolie, dis-je.

— Je suis sûr que tu es contente de les voir.

— Je suis surtout contente de constater qu'après soixante-trois ans de mariage tu me connais aussi mal.

Il esquisse un petit sourire en coin.

— Je te connais bien mieux que tu ne le penses, ma chérie.

Le dîner est un calvaire. Les enfants sont aussi bavards que leur père, il y avait moins de bruit dans l'IRM. Quant à Marie-Cécile, elle est tellement mielleuse que je vais avoir du diabète. « Votre maison est coquette, mémé ! Oh et puis ce jardin, alors, avec tous ces arbustes et cette haie parfaitement taillée ! Vous avez la main verte… » Au moment où je me lève pour aller chercher le dessert dans le réfrigérateur, elle saute sur ses pieds et appuie sur mes épaules pour me forcer à m'asseoir.

— Restez assise, mémé, je m'en occupe !

Elle quitte la pièce avant que j'aie le temps de riposter. Anatole me dévisage. Je vois son fou rire intérieur. Doucement, je me relève et rejoins Marie-Jeanne dans la cuisine.

— Où sont les petites assiettes, mémé ?

Son sourire est presque aussi large que mes fesses. J'ouvre la porte du placard, attrape une pile de petites assiettes et les lui tends. Elle les saisit, mais je ne les lâche pas.

— Merci, mémé !

— De rien, mon petit. Dites, vous connaissez les Mursis ?

— Non, mémé, c'est quoi ?

— C'est une tribu du sud de l'Éthiopie. Ils sont surtout connus pour leurs femmes, qui ont un large plateau inséré dans la lèvre inférieure.

— Ah oui ! J'en ai déjà vu à la télé ! Ça doit être horriblement gênant.

— Je ne vous le fais pas dire, ma puce. Horriblement. Je serais désolée si vous deviez supporter une telle mutilation.

— Comment ça ?

— Eh bien, si vous continuez à me parler comme si j'étais sénile, il se peut qu'une petite assiette se retrouve par inadvertance dans votre lèvre inférieure.

Marie-Laure n'a pas retrouvé ses esprits lorsque je rejoins le séjour, assiettes dans une main, cuillères dans l'autre. Grégoire est au téléphone, ses enfants sont penchés sur un écran.

— Mamie vous fait un gros bisou ! déclare-t-il en raccrochant.

Aucune réaction.

— Elle vous embrasse aussi, ajoute-t-il à notre intention.

Je ne réponds pas. Si ma fille veut m'embrasser, elle connaît mon adresse.

— C'est une grand-mère formidable, déclare Marie-Machine en s'asseyant à sa place. Elle est très présente pour ses petits-enfants, elle ne manque pas une occasion de les prendre en vacances ou de les appeler. Si toutes les mamies pouvaient être comme elle !

Ses yeux ne lâchent pas les miens. Son sourire est toujours présent sur ses lèvres, mais il a disparu de son regard. Le message est clair. Marie-Godiche me déclare la guerre.

1973

Je me souviens de cette soirée où Marius a émis l'idée de planter des haies autour de nos jardins. C'était le début du printemps, nous sortions d'un hiver rude et appréciions les premiers rayons de soleil autour d'un pique-nique sur la place.

Corinne, qui entrait dans l'adolescence, jouait à cache-cache avec Françoise et Éric, les enfants de Suzanne et Gustave. Depuis qu'Éric était né, elle l'avait pris en affection et se faisait un devoir de lui apprendre les rouages de la vie. Le petit, de trois ans son cadet, posait sur elle un regard admiratif. J'avais parfois eu le cœur pincé en imaginant quelle bonne grande sœur aurait été Corinne, si la vie m'avait offert la chance d'avoir un autre enfant. Elle ne semblait pas s'en émouvoir, son petit Éric comblant parfaitement son besoin d'aimer. Avec Françoise, les relations étaient plus orageuses. L'enfance avait souligné leurs points communs aussi sûrement que l'adolescence mettait en évidence leurs différences. Elles se chamaillaient souvent, mais cela ne durait guère : grandir ensemble créait un lien difficilement friable.

Didier, qui allait fêter ses dix-huit ans, arborait une moustache qui ne s'accordait pas avec les jeux d'enfant. On voyait bien qu'il rêvait, lui aussi, de grimper dans un prunier pour s'y cacher, mais la réserve liée à son âge l'en empêchait, d'autant que Catherine et Sophie, les jumelles de Blanche et Marius, étaient présentes. Un jour où il caressait Abricot dans mon jardin, il m'avait confié son amour pour Sophie. « Elle est plus grande que moi, mais je jure que je l'épouserai un jour ! » Dès lors, il n'avait cessé de me vanter les qualités de la demoiselle. Ses confidences avaient pris fin le jour où le chat roux avait disparu. Nous l'avons cherché partout. Didier tapait sur un bol avec une cuillère en scandant son nom tandis que je regardais dans chaque rue alentour, sous chaque voiture, dans chaque jardin. Abricot était parti comme il était venu. La seule différence, c'est qu'avant il ne nous manquait pas.

— Nous sommes allés déjeuner dans la nouvelle maison de mon frère, a déclaré Marius. Son jardin est entouré d'une haie de cyprès, c'est magnifique ! On a décidé d'en planter une. De plus en plus de gens empruntent l'impasse pour rejoindre le centre-ville à pied, nous ne sommes plus tranquilles. L'été dernier, les filles s'étaient installées dans le jardin pour bronzer et ont dû rentrer au bout de dix minutes pour ne pas être importunées par les passants.

— On y a pensé, a répondu Suzanne en distribuant ses fameux sandwichs au poulet. Nos fenêtres donnent sur la place, cela laisse le champ libre aux curieux, mais Gustave a peur de l'entretien.

— C'est très facile ! s'est exclamée Blanche. Il suffit de les tailler une fois par an et de les arroser en cas de sécheresse. Je dois admettre que le résultat est très beau. Si vous êtes intéressés, Marius a trouvé un paysan qui en cultive, il propose un tarif dégressif. Si nous sommes plusieurs à en acheter, nous paierons moins cher.

Anatole m'a demandé mon avis, je n'en avais pas. J'aimais la verdure, ajouter des petits sapins dans mon jardin ne me dérangeait pas, même si je préférais les arbustes à fleurs.

C'était il y a plus de trois ans, et je regrette chaque jour de ne pas avoir anticipé ce qui allait suivre.

Les cyprès ont poussé, formant des murs végétaux entre nos maisons. De mon séjour, je ne vois plus la place, encore moins le coucher de soleil. Je ne salue plus Rosalie le matin depuis la fenêtre de la cuisine. Je n'accompagne plus Anatole du regard jusqu'à l'angle de la rue. Je ne vois plus Gustave enfourcher son vélo pour partir travailler. Je n'admire plus la DS d'André et le sourire de son fils.

Nous nous réunissons toujours sur la place, mais les haies ont tracé des frontières entre nous. Ce n'est plus un quartier, ce sont des maisons individuelles. Les haies ont fait barrière à notre amitié.

Chapitre 19

J'ai préparé le petit-déjeuner. Je ne reçois pas souvent, alors je veux que mes hôtes s'en souviennent. Je suis descendue à la boulangerie lorsque tous dormaient encore. Le pain frais et les croissants sont disposés sur la table du séjour, avec du beurre et de la confiture. Le café attend au chaud dans la cafetière, embaumant la maison de son odeur corsée. Je préparerai un chocolat chaud aux enfants quand ils se lèveront.

S'il y a bien une chose à laquelle je tiens, c'est ma réputation. L'épouse de mon petit-fils et moi sommes parties sur de mauvaises bases, mais je ne veux pas qu'il puisse être dit que, chez moi, on est reçu comme ailleurs. Je tiens au petit plus qui fait la différence.

J'allume le feu sous la casserole de lait en entendant les pas dans les escaliers.

Grégoire m'enlace, le petit m'embrasse sur la joue, la grande me sourit timidement. Leur mère pose sa main sur le cœur :

— Oh, mémé ! Que c'est gentil ! Il ne fallait pas vous donner autant de mal, vraiment.

Je secoue la tête avec pudeur.

— C'est bien normal. Grégoire, un café, je suppose ?

Mon petit-fils hoche la tête, incrédule.

— Et vous, Marie-Laure ?

— Un café aussi, merci mémé !

— Je vous sers et j'arrive. Allez donc vous installer dans le séjour.

Mes invités obéissent sans se faire prier. Je verse le breuvage brûlant dans deux tasses et les apporte à leurs destinataires.

— Eh voilà ! Avec un sucre pour Grégoire, sans sucre pour Marie-Laure. Bon appétit !

— Et le chocolat chaud ? réclame le petit. J'ai trop faim !

— Je vais le chercher, dis-je en regagnant la cuisine.

À mon retour, Anatole, assis à sa place en bout de table, observe ce ballet avec circonspection. Je m'installe à l'autre bout de la table pour ne pas manquer la scène finale.

Il faut attendre que le café ait un peu refroidi, Marie-Laure ne veut pas se brûler. Elle porte la tasse à ses lèvres, avale une gorgée et la recrache sur la toile cirée.

— Ça va ? s'enquiert Grégoire. Tu t'es étouffée ?

— Oui, voilà, répond-elle dans une grimace. J'ai avalé de travers.

Lentement, sans me quitter des yeux, elle éponge les dégâts. Tout à coup, elle m'adresse son plus beau rictus.

— Je suis désolée, mémé, j'en ai mis partout.

— Je vois ça.

— J'ai honte, je ne voudrais pas que vous ayez une mauvaise image de moi. Alors je viens d'avoir une idée : on va rester un jour de plus, comme ça on apprendra à mieux se connaître !

Grégoire laisse éclater sa joie. Les enfants, tout à leur écran, n'ont aucune réaction. Je me lève et quitte la table.

— Pardonnez-la, c'est trop de bonheur d'un coup, déclare la voix de mon traître d'époux.

Il me rejoint dans notre chambre, où je me suis réfugiée. Il pleure de rire.

— Ah là là, ma chérie ! Tu es tombée sur un os, on dirait.

— Heureuse d'amuser la galerie. Ce n'est pas cette petite Marie-Conne qui va faire la loi, je peux te le dire !

Les rires d'Anatole redoublent. Il se tient les côtes en gémissant, les larmes coulent sur ses joues, je ne l'avais pas vu dans un tel état depuis bien longtemps. Je voudrais que cela dure toujours. Qu'il ne remette jamais son masque de tristesse. Lentement, je sens son hilarité me gagner. Je lutte, je jure que je lutte de toutes mes forces, mais je suis contaminée. Mes lèvres se descellent, mes sourcils se défroncent, et bientôt je laisse échapper un rictus, un sourire, un rire.

Trois coups secs frappés à la porte nous interrompent. Sans attendre la réponse, Marie-Laure ouvre la porte et entre dans la chambre.

— On peut se parler ?

— Ai-je le choix ?

— Pas vraiment.

Anatole nous laisse seules. Elle se poste face à moi :

— Je ne veux pas me mêler de vos affaires de famille. J'ai bien compris que ma présence n'était pas souhaitée, et à vrai dire je m'en fous. Mais il faut quand même que vous sachiez une petite chose. Votre petit-fils, mon mari, vous aime beaucoup. Il me parle souvent de votre belle relation quand il était enfant. Apparemment, vous le gardiez régulièrement, vous l'emmeniez en vacances, vous lui appreniez à cuisiner, à danser, à jardiner, vous étiez très proches. Je ne sais pas ce qui s'est passé, je n'ai pas à le savoir, mais je pense que lui en a le droit. Vous ne l'appelez jamais, et quand c'est lui qui vous appelle, vous êtes occupée. Il en souffre. Vous lui manquez. Alors, vous pouvez verser du sel dans mon café ou m'insérer une assiette où vous voulez, mais vous ne m'empêcherez pas de vous dire que, quelles que soient vos raisons, vous êtes une grand-mère pitoyable et une arrière-grand-mère horrible.

Elle inspire, puis souffle longuement. Je me laisse tomber sur mon lit. Mes pensées se télescopent : le petit Grégoire dans mes bras, ma grand-mère qui me crie dessus, Corinne qui me coiffe près des rosiers, ma mère qui m'ignore. Marie-Laure comprend que je ne répondrai pas. Sans un mot, elle se dirige vers la porte. Elle s'apprête à sortir quand je parviens enfin à formuler une phrase :

— La prochaine fois, je mettrai du poivre aussi.

1975

Ma mère est morte. Je n'ai pas pleuré. Son corps a cessé de fonctionner, mais elle avait arrêté de vivre depuis dix ans. Le jour du décès de mon père.

Ma mère avait le visage de la douleur. Elle, pourtant si pieuse, avait mis fin à ses prières en espérant la punition divine ultime.

Les funérailles ont eu lieu dans le Nord, où elle s'était installée chez ma sœur Lucie. Nous y sommes allés en train, Anatole, Corinne et moi.

C'était triste, et pourtant joyeux. Lucie me manque tant depuis qu'elle vit à l'autre bout du pays, même si nous nous écrivons tous les mois. La voir aussi heureuse avec son mari et ses deux fils m'a rempli le cœur de bonheur.

Nous sommes restés une semaine, puis nous sommes promis de nous revoir vite. Elle m'a donné une photo d'eux en me chuchotant : « Tu la regarderas si je te manque, ma sœur chérie. »

Nous venons de rentrer, et la première chose que j'ai faite, c'est l'encadrer et l'afficher sur le buffet du séjour, près de celle où nous nous étreignons lors de son mariage. Puis, juste à côté, j'ai posé un cliché de ma mère et mon père.

Je n'ai plus de parents. Je ne suis plus la fille de personne.

Je me sens toute petite, ce soir.

Anatole le sent et multiplie les attentions. Corinne ne me lâche pas d'une semelle. Blottis les uns contre les autres, nous regardons le nouvel épisode de Paul et Virginie *à la télévision. Cela n'a rien de marquant, c'est un petit moment comme nous en partageons souvent, pourtant je sais que, celui-là, je ne l'oublierai jamais.*

Il est deux heures du matin lorsque je me réveille. Les larmes inondent mes joues. Mon cœur bat à tout rompre. Je me tourne brusquement et tends le bras vers Anatole. Il est là. Il respire. Dans mon rêve, il n'existait plus.

Le geste réveille mon mari. Il allume la lumière.

— Ma chérie, qu'est-ce que tu as ?

Je me jette dans ses bras.

— J'ai fait un terrible cauchemar, mon amour ! J'ai eu peur, si peur, si tu savais… Promets-moi que tu ne mourras jamais.

— Tu sais bien que je ne peux pas te promettre cela, chuchote-t-il en me caressant les cheveux.

— Je m'en fiche, promets-le !

Il prend mon visage entre ses mains et le couvre de baisers.

Mon cauchemar avait l'air si réel que je peine à recouvrer mon souffle. Anatole était mort, et c'était comme si je l'étais aussi. J'errais dans la maison, parlant au silence, cherchant son odeur dans ses chemises, sa voix dans ma mémoire. J'étais une enveloppe vide, mes émotions s'étaient éteintes. Le manque de lui était insupportable. J'étais prête à tout, à absolument tout, pour passer encore une minute avec lui. Un ultime moment pour le regarder, pas seulement le voir, pour l'écouter, pas seulement l'entendre, pour le toucher, le sentir, pour fixer toutes ces sensations et ne jamais les oublier.

Je pense à mon père, je pense à ma mère. Je ne veux jamais connaître ce vide.

— Anatole, je t'aime.

— Moi aussi, je t'aime.

Je me redresse et le fixe du regard :

— Je t'aime vraiment.

— Moi aussi, je t'aime vraiment, ma chérie.

— Je veux te dire quelque chose d'important. Laisse-moi parler, s'il te plaît, et ne réponds pas. Je sais ce que tu dirais, et je ne veux pas l'entendre. Promets-le.

— Je te promets.

J'essaie d'ordonner les mots dans mon esprit, mais ils se précipitent :

— Je ne vivrai pas un jour sans toi. Si tu pars, je partirai aussi. J'en fais le serment.

Comme promis, il ne répond pas. Je l'embrasse longuement, me recouche, remonte la couverture sur moi et replonge instantanément dans le sommeil.

Chapitre 20

— La page Facebook explose !

Marius est dans tous ses états en nous rejoignant au QG pour la réunion hebdomadaire. Il gesticule, son téléphone à la main, en prononçant des mots que je ne comprends pas. Je ne suis pas la seule, si j'en juge par les têtes de carpes évidées qu'arborent mes voisins.

— Reprenez votre souffle et expliquez-nous, lui conseille Rosalie. Vous êtes rouge comme un cul de babouin.

Marius s'exécute. Il s'assoit, prend quelques minutes pour se calmer (douze), puis dresse un compte rendu de la situation en tentant de nous initier au vocabulaire moderne. Si je comprends bien, il a créé au début du mouvement une page Facebook au nom des Octogéniaux. Les gens peuvent manifester leur soutien en aimant la page. Avant le rap, une dizaine de personnes nous soutenaient. À l'heure où j'écris ces mots, ils sont plus de deux cent mille.

— C'est incroyable ! Je n'arrête pas de recevoir des messages, les gens sont avec nous, même des gens que l'on connaît. Vous vous souvenez de monsieur Gourion, le maréchal-ferrant ?

— Pardi que je m'en souviens ! s'esclaffe Rosalie. Sous ses mains, j'aurais bien voulu être une jument.

— Eh bien il m'a écrit. Il est aux Pinsons, la maison de retraite derrière l'église. Il dit que, là-bas, tout le monde est de notre côté, ils suivent nos aventures comme *Les Feux de l'amour* ! Au fait, où est Joséphine ?

— À l'hôpital, répond Gustave. Elle lit des histoires au chevet des enfants malades.

— Ah ? s'étonne Marius. Je ne le savais pas. Depuis longtemps ?

— Oh, seulement vingt ans. Mais elle y va plus souvent ces derniers mois.

Je l'avais oublié aussi. Tout comme j'ignorais que Marius offrait ses dimanches matin à la soupe populaire, que Gustave s'adonnait à la marche nordique et que Rosalie était toujours célèbre à Broadway. Nous nous sommes perdus de vue alors que nous vivons à portée de regard.

Les haies avaient tamisé nos relations. L'accident les a pulvérisées.

— Bref, reprend Marius, ce message m'a donné une idée. Les résidents des Pinsons ne doivent pas être les seuls à nous soutenir dans le coin. Je vais lancer un appel sur la page Facebook, et si cela marche comme je le souhaite, on va entendre parler de notre prochaine action.

1975

Le spectacle de fin d'année va débuter. Rosalie procède aux dernières vérifications sur nos coiffures. C'est la première fois que Suzanne participe, son inquiétude s'affiche sur son visage.

— Je ne vais pas vous rassurer, lui dis-je, je suis toujours aussi angoissée après six ans.

— Vous avez peur de quoi ? ricane Rosalie. Personne ne vous lancera de tomates ici !

Je la bouscule en riant :

— Oh là là ! Maintenant que Madame *a chanté sur les plus grandes scènes, elle ne craint plus rien !*

— Tout à fait, rétorque Rosalie. À ce propos, quand comptez-vous faire la révérence pour me saluer ?

Rosalie est restée trois ans à New York. Elle est rapidement devenue meneuse d'une revue à succès. Sa voix, son humour et son accent français en ont fait la coqueluche de Broadway. Elle m'envoyait une lettre chaque semaine. Elle m'y confiait son bonheur d'avoir réalisé son rêve, son euphorie de monter sur scène tous les soirs, d'être acclamée par les spectateurs et la profession, mais aussi son sentiment de solitude.

« Les gens aiment ce que je représente. J'ai des dizaines d'amis qui me couvrent d'attentions, mais qui ne savent rien de moi. Pour eux, je suis Rosy, la Française gouailleuse et aguicheuse, la chanteuse en vogue. Personne ne me demande comment je vais. Plus la lumière est forte, plus l'ombre paraît sombre. »

Lorsque la revue a pris fin, d'autres chanteuses, plus jeunes, plus motivées, commençaient à faire parler d'elles. Rosalie a rangé son rêve américain dans une valise et pris un vol retour. Je l'attendais à l'aéroport.

Le groupe précédent a fini sa chorégraphie. C'est bientôt à nous.

Je n'ai pas proposé à Anatole de venir assister au spectacle. Je l'ai fait les trois premières années, sans succès. Il ne m'empêche pas de participer, je dois m'en contenter.

Quand le rideau s'ouvre, je cherche Corinne dans le public. Chaque année, elle est au premier rang. Il lui arrive de m'accompagner aux entraînements, elle me donne des conseils et m'encourage alors même qu'elle n'aime pas la danse. J'ai bien tenté de l'inscrire, elle a pleuré tout au long du cours. Elle préfère la natation, qu'elle pratique à la piscine municipale avec le petit Éric et Didier, ou les cours d'équitation que donne monsieur Gourion, le maréchal-ferrant.

Je balaie le premier rang du regard, toutes les places sont occupées, mais point de Corinne. Rosalie me donne un coup d'épaule alors que nous entrons sur scène. Du menton, elle me désigne le fond de la salle. Ma fille est là et m'adresse un signe de la main. À ses côtés, mon mari m'adresse un clin d'œil.

Plus que jamais, la musique me transporte, je m'envole, je m'élève. Sous le regard d'Anatole, sous le sourire de Corinne, j'enchaîne les pas comme si ma vie en dépendait. Mon cerveau est sur pause, c'est mon corps qui s'exprime, c'est mon âme qui dessine.

Toute la salle applaudit. Suzanne est en larmes. Dans le public, son cher Gustave aussi. Anatole sourit. Corinne est debout.

Mes jambes tremblent lorsque je rejoins les vestiaires. Rosalie m'étreint longuement. Je me hâte de me changer, puis sors retrouver ma famille.

— Ils sont partis, m'apprend Gustave, qui se remet de son émotion en attendant sa femme. Je me suis étonné qu'ils ne restent pas, mais Anatole avait apparemment quelque chose à faire.

Ma déception est à la hauteur de la joie qui l'a précédée. À quoi bon assister au spectacle si c'est pour s'enfuir après ? J'ai dû imaginer le sourire sur les lèvres d'Anatole. Il n'a pas apprécié.

Je rumine tout au long du trajet retour. Rosalie fulmine. Si elle avait mon époux sous la main, c'est lui qui danserait.

La maison est silencieuse, les lumières éteintes. L'inquiétude me saisit. L'heure du dîner est passée, je pensais trouver mon mari affamé attendant que je réchauffe le repas préparé cet après-midi.

J'allume le séjour. La table est dressée. Mon vase préféré est rempli de roses. Le transistor s'allume, la voix de Piaf entonne La Vie en rose. *Je suis plantée au milieu de la pièce quand des rires me parviennent derrière moi. Je me retourne. Mon mari et ma fille sortent de la cuisine.*

— Assieds-toi, maman, on t'a préparé un vrai festin.

Anatole a ce sourire que j'aime tant.

Le poulet est trop cuit, les pommes de terre pas assez, mais c'est le meilleur dîner de ma vie. Ma fille me reprochera sûrement un jour de ne pas lui avoir appris à cuisiner, comme ma mère et ma belle-mère l'avaient fait pour moi. Même si les choses ont évolué ces dernières années, on attend encore d'une femme qu'elle sache nourrir son époux. J'ai souvent hésité à lui transmettre mes recettes et mes astuces, mais elle ne semblait pas intéressée. Je n'ai pas voulu la forcer. Elle préférait les fleurs, la littérature et l'astronomie, j'ai choisi de l'aider à développer ses goûts. À bientôt quinze ans, Corinne sait bouturer des rosiers, a lu tout Hugo, Stendhal et Balzac, connaît toutes les galaxies, mais ne sait pas faire cuire un œuf.

— Tu étais tellement belle sur scène ! me dit-elle pour la troisième fois.

Je savoure ces marques d'amour qu'elle n'affiche plus que dans l'intimité.

— Merci, ma chérie.

— Tu ne trouves pas, papa ?

Anatole s'essuie la bouche en hochant la tête. Il n'a pas émis le moindre commentaire sur le spectacle.

— Ta mère est toujours belle, ma grande. Mais, ce soir, elle avait quelque chose en plus. Elle rayonnait.

Chapitre 21

Action n° 4

Le parking d'Intermarché est saturé, comme tous les samedis. Des voitures sont garées à cheval sur les trottoirs ou les massifs de fleurs, les coups de klaxons couvrent les insultes, une place libre devient une circonstance atténuante. Tout le monde est pressé. Ce grand chauve tente la caisse rapide alors qu'il a vingt articles au lieu des dix tolérés. Cette rousse s'agace que le poissonnier bavarde en vidant sa dorade. Ce petit trapu bouscule tout le monde sur son passage. Cette maman a égaré sa patience au rayon bonbons. Ce couple détourne le regard du ventre rond qui vient de se placer derrière lui dans la file. Chaque seconde ici est une seconde en enfer. Les gens n'ont qu'une hâte : quitter le brouhaha, la chaleur, les gens, fuir, retrouver l'air libre.

Il est quinze heures pile lorsque nous pénétrons dans le supermarché.

Le milieu d'après-midi a été choisi à l'unanimité, pour toucher le plus grand nombre.

Marius, Joséphine, Rosalie, Gustave, Anatole et moi sommes en première ligne. Derrière nous, quatre-vingt-treize personnes âgées de soixante-douze à cent trois ans sont prêtes à en découdre. Chacune est précédée d'un chariot, idée de Gustave pour occuper plus d'espace.

Lorsque le vigile aperçoit la marée humaine qui glisse vers les entrées, son corps reste calme, mais ses yeux lancent des fusées de détresse.

— Puis-je vous aider ? demande-t-il en se postant face à nous.

— Non merci, mon brave, répond Marius. On vient juste faire nos courses.

— Grosse promo sur le poulet ! ajoute Joséphine.

Nous passons le portique aussi lentement que possible, ce qui ne représente pas un exploit pour certains, qui semblent immobiles même en mouvement, puis, conformément à nos instructions, le groupe se disperse et l'invasion commence. Pas un rayon n'est épargné. Anatole, Joséphine, Rosalie et moi sommes assignés au bricolage. Joséphine gare son chariot en plein milieu et se plonge dans la contemplation des rouleaux de scotch.

— Jeune homme, demande Rosalie à un client, auriez-vous l'amabilité de m'attraper le tournevis rouge, je vous prie ? Il est trop haut pour moi.

Le client obtempère.

— Merci, mon mignon. Oh zut, je me suis trompée, en réalité c'est l'autre que je voulais, celui avec le manche gris.

Le client raccroche le premier outil et saisit le second.

— Non, l'autre, à droite ! indique Rosalie.

L'homme commence visiblement à s'agacer. C'est le moment que choisit Rosalie pour asséner le coup de grâce.

— Vous savez, chéri, il y a quelque temps, j'étais tout à fait apte à atteindre le haut des étals, mais, en vieillissant, on se ratatine, vous verrez, c'est terrible, et si c'était le seul point négatif, mon pauvret, si j'ai un conseil à vous donner, profitez tant que vous êtes jeune, après vous ne serez plus bon à rien, vous aurez mal partout, vos os se briseront comme du verre, vous ne trouverez plus le sommeil sans avaler des médicaments, il vous en faudra aussi pour bander, d'ailleurs, ce qui n'est pas très important puisque votre femme n'aura plus envie de vous, et puis il faut que je vous dise, vous allez perdre toutes vos dents, dans votre cas ce n'est pas bien grave, elles ne sont pas très belles, mais quand même, je vous le dis, ça fait bizarre d'enlever son appareil tous les soirs et de le faire tremper dans un verre, mais ce n'est pas le pire, le pire c'est l'odeur, on dirait que…

Le client n'attend pas la fin du monologue et fuit une Rosalie fière de son fait. Il ne lui faut que quelques secondes pour aviser une nouvelle proie et s'adresser à elle.

Anatole prend un malin plaisir à rouler sur les pieds des gens. Personne n'ose s'en prendre à une personne en fauteuil.

Quant à moi, je passe devant ceux qui observent des produits et je m'arrête juste devant eux. Bien entendu, je feins de ne pas entendre leurs plaintes et je me décale en même temps qu'eux. Je ne me suis pas autant amusée depuis longtemps.

Mon moment préféré est le passage aux caisses. Il est dix-sept heures. Voilà deux heures que nous envahissons le supermarché et l'exaspération des clients ne s'encombre plus de bienséance. J'ai été bousculée et une femme m'a même insultée, mais mon Anatole m'a vengée. Elle avait des chaussures blanches.

Nous gagnons les caisses dans le calme et la lenteur, une dizaine d'entre elles seulement sont ouvertes, nous nous répartissons naturellement. La plupart des chariots ne contiennent qu'un article, mais nous avons tout prévu pour faire durer notre petit jeu : paiement en pièces roses, bons de réduction périmés, produits sans code-barres, chéquiers en francs… Nos alliés ont pris leur rôle au sérieux.

Lorsque nous nous retrouvons à l'extérieur, nous devons donner l'image d'un groupe de vieillards. En réalité, nous sommes des enfants qui viennent de faire une grosse bêtise, et qui en sont très fiers.

1976

Écrit en 1978 d'après mes souvenirs. Pour ne rien oublier.

Je ne le sais pas encore, mais ce sont nos dernières vacances avec Corinne. On devrait savoir à l'avance que les fois sont les dernières. On les vivrait plus intensément.

Cette année, nous faisons une infidélité au camping. Un collègue d'Anatole lui a conseillé une longère en location à Morgat, le village de nos vacances estivales. Dès notre arrivée, nous sommes séduits par le bâtiment de pierre chapeauté d'un toit d'ardoises.

Nous n'avons pas le temps de défaire nos valises que Corinne nous entraîne en courant vers le chemin des falaises, qui se trouve à quelques centaines de mètres. Hors d'haleine, échevelée, je comprends immédiatement pourquoi elle était si pressée. Le soleil plonge dans l'océan, éclaboussant le ciel de reflets ambrés.

Nous nous asseyons toutes les deux dans l'herbe et admirons les talents artistiques de Mère Nature, pendant qu'Anatole poursuit la balade.

— Maman, chuchote Corinne, promets-moi qu'un jour on regardera le soleil se lever depuis l'autre côté de l'océan.

— Je te promets, ma puce.

Elle pose sa tête sur mon épaule. Ses cheveux volent dans mes yeux, mais je ne la repousse pas. Comme quand elle était petite et qu'elle s'endormait sur moi, m'empêchant de vaquer à mes occupations.

Corinne a insisté pour que nous emmenions Éric en vacances avec nous. J'ai argué que Suzanne et Gustave refuseraient sûrement de nous laisser leur enfant, mais, en réalité, c'est moi qui ne voulais pas partager la mienne. Cette pause estivale est un moment privilégié, nous prenons le temps qui nous manque le reste de l'année, rien ne presse, rien n'oppresse. Nous sommes dans une bulle que j'aimerais ne jamais percer. Je profite de celle qui est encore mon bébé.

Elle a déjà la voix d'une femme, toujours le regard d'une petite fille.

Elle a de longues jambes qu'elle cache sous d'amples jupes-culottes.

Elle s'allonge chaque soir dans l'herbe et nous parle des constellations.

Elle lit Colette et Jane Austen, elle écoute en boucle L'Été indien *et* Hotel California.

Elle se rêve en astronaute, en ingénieur ou en botaniste.

Elle aime les câlins quand ils ne durent pas trop longtemps.

Elle dit qu'elle voudrait être comme moi, mais je lui souhaite d'être comme elle.

— Maman, je crois que je suis amoureuse, souffle-t-elle soudain.

Je lui caresse la joue. J'avais perçu un changement dans son comportement, une coquetterie, un empressement nouveau.

— C'est un garçon du lycée ? je demande.

— Non. C'est un garçon de l'impasse.

Ils ne sont que deux, Didier et Éric. Elle considère ce dernier comme son petit frère, le mystère est donc vite résolu.

— Didier ?

Son sourire répond pour elle.

— C'est réciproque ? je demande.

— Tu parles, il ne s'en doute pas, il me voit comme une gamine.

— Il a bien raison de te voir comme une gamine, c'est ce que tu es.

Nous sursautons en entendant la voix d'Anatole dans notre dos. Nous ne l'avons pas vu revenir de sa promenade.

— Tu ferais mieux de travailler tes cours de mathématiques plutôt qu'aller courir les garçons, poursuit-il.

— Je ne cours pas les garçons, papa !

Il secoue la tête :

— Tu me déçois, Corinne. Quand tu m'as demandé si tu pouvais aller passer une heure chaque soir sur la place avec les autres enfants de l'impasse, j'ai voulu te faire confiance, mais je constate que c'était une mauvaise idée. Tu n'iras plus. Didier est un homme, tu ne sais pas de quoi les hommes sont capables.

— Mais, papa !

Il ne répond pas. Corinne me lance un regard désespéré. Je me lève et prends la main d'Anatole :

— Allons, chéri, tu exagères un peu ! Elle ne fait rien de mal, ce sont des choses de son âge.

Il retire sèchement sa main :

— Cesse donc de l'encourager. C'est ma fille, je dois la protéger. Elle me remerciera un jour. La conversation est terminée, rentrons à la maison, je commence à avoir faim.

Chapitre 22

Grégoire est déjà debout quand je me lève. Attablé devant une tasse vide dans le séjour, il a l'air soucieux.

— Mamie, viens t'asseoir s'il te plaît.

— Tu permets que j'aille faire pipi ou je dois enfiler une couche ?

Il ne réagit pas. Ce n'est pas bon signe. Je m'assieds face à lui. Il me dévisage en silence.

— Grégoire, je sais que je suis belle, mais tu m'as vraiment demandé de m'asseoir pour m'admi…

— Mamie, c'est vrai que tu as la maladie d'Alzheimer ? me coupe-t-il soudain.

— Qui t'a dit ça ? Les gens parlent trop… Tu es journaliste, tu devrais savoir qu'il ne faut pas écouter les rumeurs.

Je prends appui sur la table pour me lever, mais il poursuit :

— C'est toi qui me l'as dit hier soir. Tu ne t'en souviens pas ?

— Je ne vois pas pourquoi je t'aurais dit ça, je réplique sèchement.

— Parce que je t'ai surprise en train de pleurer. Tu m'as parlé de ta maladie, tu m'as confié ta peur.

Je n'ai aucun souvenir de cette conversation. Mon petit-fils reprend timidement :

— Tu m'as aussi dit que tu m'aimais. Tu as oublié ?

— N'en rajoute pas trop, petit.

— Mamie…

Je ferme les yeux. Fichues larmes qui débarquent sans avoir été invitées.

— Ne dis rien à papy, je chuchote.

Pour toute réponse, Grégoire se lève, fait le tour de la table, s'accroupit et me prend dans ses bras. Je n'oppose aucune résistance.

— Promets-le-moi, je répète.

Grégoire relâche son étreinte et plonge son regard dans le mien. Il est infiniment triste.

— Je te le promets, murmure-t-il. Même si je crois qu'il a le droit de savoir.

— Il n'a pas besoin de cela.

— Justement, mamie. Qu'est-ce qu'il a, papy ? Et ne me dis pas encore une fois que c'est de l'arthrose, il n'arrive presque plus à marcher et il a voulu que j'attende dans la voiture quand je l'ai accompagné à l'hôpital. Je ne suis pas stupide.

Je fais un bond d'un an en arrière, dans le cabinet du neurologue. Anatole avait des difficultés à lever son pied droit depuis quelque temps. Nous avions mis cela sur le compte de la fatigue intense qui ne le quittait pas, mais notre médecin l'avait orienté vers un spécialiste. Après une batterie d'examens, il nous a reçus pour nous annoncer le diagnostic. Il avait du retard, je me rappelle avoir râlé car la mercerie allait fermer, je n'aurais pas le temps de passer acheter des boutons pour mon cardigan.

Je n'avais jamais entendu parler de la maladie de Charcot, mais le nom m'a rassurée. Cela ressemblait à Charlot, ça ne devait pas être bien méchant.

— On l'appelle aussi la sclérose latérale amyotrophique, a précisé le neurologue. C'est une maladie qui entraîne une dégénérescence des motoneurones. Vous avez la forme spinale, qui commence par les extrémités.

Il a pris un papier et esquissé un schéma explicatif en détaillant tous les symptômes. Paralysie progressive. Amyotrophie. Pronostic sombre. Pas de traitement efficace.

Grégoire m'écoute, comme quand il était petit et que je lui racontais des histoires de chevaliers et de dragons, ou sa préférée, celle du roi Midas qui transformait tout ce qu'il touchait en or.

— Il lui reste combien de temps ? finit-il par demander, la voix tremblante.

Je repense à notre dernière conversation avec le neurologue, à ces mots que j'aimerais effacer d'un coup d'Alzheimer.

— La maladie évolue vite, mon grand. Dix-huit mois, deux ans dans le meilleur des cas.

1977

Corinne fréquente un chevelu de la cité des Mimosas. La directrice du lycée m'a convoquée pour m'apprendre qu'elle avait manqué plusieurs jours de cours. J'ai suivi ma fille un matin. Elle est descendue du bus trois arrêts après celui de l'école. Il l'attendait sur sa mobylette, moulé dans un jean pattes d'éléphant. Elle l'a embrassé, a grimpé sur le porte-bagages et ils ont disparu dans un vrombissement assourdissant.

Je n'ai rien dit à Anatole. Il a fait beaucoup d'efforts, ces dernières années, il essaie de s'adapter aux évolutions de la société, il commence à m'aider en cuisine et il n'est pas rare qu'il débarrasse la table, mais, concernant sa petite fille, le cheminement est plus difficile.

J'ai attendu Corinne dans sa chambre. Anatole n'était pas encore rentré. Elle sentait la cigarette et le cuir.

— Maman ? Pourquoi tu es dans ma chambre ?

— Je voulais te parler.

— C'est grave ? a-t-elle demandé en lâchant son sac.

Je lui ai fait signe de s'asseoir sur le lit, à côté de moi. Elle a obéi.

— Ma chérie, je me demande depuis ce matin comment je vais pouvoir entamer cette conversation. J'ai envisagé de te demander ce que tu avais appris au lycée aujourd'hui, mais je pense que l'honnêteté est le meilleur moyen de discuter. Je sais que tu as une relation amoureuse, je sais que tu manques souvent les cours.

Son visage s'est transformé. L'inquiétude a laissé place à la colère.

— N'importe quoi ! a-t-elle rugi. Je ne sais pas de quoi tu parles.

— Corinne, madame Lafuge m'a convoquée, alors je t'ai suivie ce matin.

Elle s'est levée d'un bond :

— Tu m'as suivie ? Tu m'as suivie ?

— Oui, je t'ai suivie, ai-je répondu calmement. J'ai pris le bus avec toi, j'ai vu le garçon aux cheveux longs.

— C'est de l'espionnage, tu n'as pas le droit !

J'ai pris une longue inspiration :

— Ma chérie, tu sais à quel point je t'aime, mais je te conseille de changer de ton. Aucune loi n'empêche une mère de s'assurer que sa fille mineure ne se met pas en danger. En revanche, puisque tu as l'air

très à cheval sur le droit, j'imagine que tu sais que les enfants sont sous la responsabilité de leurs parents jusqu'à leur majorité. Or, il se trouve que tu ne seras majeure que dans un an.

Corinne a baissé la tête.

— Papa est au courant ? a-t-elle murmuré.

— Non. Je ne lui dirai rien si tu me promets de retourner au lycée. Je ne peux pas t'empêcher de fréquenter des garçons, même si j'aurais préféré que tu en choisisses un qui ne ressemble pas à un cocker. Mais je peux t'empêcher de gâcher ton avenir. Tu es une bonne élève, tu aimes étudier, c'est ta chance. N'oublie pas tes rêves. Je connais une petite fille qui avait très envie d'aller vivre en Amérique et une maman qui aimerait beaucoup aller passer des vacances chez sa fille.

De lourdes larmes dégringolaient le long des joues de Corinne.

— Mais je l'aime, maman !

— Je n'en doute pas, ai-je répondu en lui caressant les cheveux. Et s'il t'aime aussi, il comprendra que tu ne sacrifies pas tes études pour lui. Comment s'appelle-t-il ?

Son sourire a été immédiat.

— Philippe.

— Il est gentil avec toi ?

— Oh oui ! Il est très prévenant, il m'aime, tu sais.

— Il a intérêt, parce que je connais aussi un papa qui serait capable de le débarrasser de sa crinière.

Le secret n'a pas tenu longtemps. Une lettre anonyme est arrivée un mardi matin. Je suis rentrée en retard de la danse, Anatole avait relevé le courrier. J'ai immédiatement reconnu l'écriture de Françoise, la fille de Suzanne et Gustave, qui devait offrir là sa vengeance à Corinne après une énième dispute.

— Tu savais ? m'a-t-il demandé, blême.

— Chéri, calme-toi.

— Tu m'as menti ? Vous vous êtes liguées contre moi, vous m'avez menti toutes les deux ?

J'ai essayé de le raisonner, de lui expliquer que c'était normal, à l'âge de Corinne, de connaître ses premiers émois. Il n'a rien voulu entendre. Il a téléphoné à son bureau pour annoncer son absence, puis, en fin d'après-midi, il est allé attendre notre fille à la sortie du lycée. C'est elle qui m'a raconté la suite.

Elle n'a pas vu son père, aveuglée par Philippe, qui l'attendait devant le portail, à cheval sur sa mobylette. Elle lui a sauté au cou. Ils étaient en train de s'embrasser quand Anatole l'a saisie par le bras. Le jeune homme a voulu s'interposer, mal lui en a pris.

— Quel âge avez-vous, jeune homme ? a demandé Anatole.

— Vingt ans, monsieur.

— Vous êtes donc coupable de détournement de mineure. Je vous interdis de revoir ma fille, sinon je vous fais jeter en prison, est-ce bien compris ?

— Mais, monsieur, je…

— Est-ce bien compris ?

— Vous pouvez me faire jeter en prison, je continuerai de l'aimer.

Anatole est resté figé un moment, puis il a attrapé le guidon et secoué la mobylette de toutes ses forces, avant d'entraîner Corinne vers la voiture. Il n'a pas desserré les dents du retour.

— Va dans ta chambre, a-t-il assené en rentrant. Tu es punie jusqu'à nouvel ordre. Tu ne reverras jamais ce loubard.

La scène a eu lieu hier soir. Ce matin, la chambre de Corinne est vide. Une lettre est posée sur le lit.

« Papa, tu es trop sévère, tu m'empêches de vivre ma jeunesse. Maman, tu acceptes tout ce que décide papa. Je vous aime, mais j'en ai marre. J'étouffe, j'ai besoin d'air. Je ne reviendrai pas, je pars vivre avec Philippe. »

Chapitre 23

Les Octogéniaux ont une pleine page dans *Le Monde*. Le quotidien est posé sur la table du QG, nous sommes tous penchés au-dessus, incrédules face à l'ampleur qu'a prise notre petite rébellion de quartier.

Le journaliste est venu nous rencontrer après la troisième action. Des clients avaient filmé notre invasion du supermarché et publié les vidéos sur Internet. Je n'ai pas tout compris, mais, manifestement, beaucoup de personnes les ont vues, c'est ainsi que la rédaction a eu vent de notre existence. Il est venu avec un photographe. Nous avons pris la pose pendant longtemps, il y en avait toujours un qui fermait les yeux ou qui regardait ailleurs, j'ai eu des crampes. On s'attendait seulement à un petit encart dans le journal, nous sommes ébahis.

Le papier raconte la genèse de notre combat, nos noms sont dévoilés, ainsi que nos différentes actions. Marius est décrit comme le leader et cité sur plusieurs lignes, il bombe tellement le torse qu'on dirait qu'il attend des triplés. En fin d'article, le maire donne sa version des faits : une école, c'est merveilleux, c'est la vie, c'est blablablaHAN. Rosalie a masqué son intervention d'un coup de marqueur noir.

Sur le cliché, nous sommes sur la place, l'impasse des Colibris en arrière-plan. Dans une boîte en carton, au garage, j'ai une photo quasi identique, prise il y a exactement cinquante-cinq ans. Je n'ai pas besoin de la regarder pour me la rappeler nettement. Nous sommes plus nombreux. Nous sommes jeunes, souriants. Gustave fait une grimace, Joséphine est collée à Gaston, Suzanne porte dans ses bras le minuscule Éric, Anatole dépasse tout le monde d'une tête, Marie essaie de retenir Didier, qui préférerait courir. J'ai peine à croire que nous sommes les mêmes personnes, au même endroit.

— Je n'arrête pas de recevoir des messages, déclare Marius en consultant son téléphone. Les gens nous écrivent sur la page Facebook, je n'arrive même pas à tout lire.

— On est des stars ! s'exclame Joséphine. Ils parlent de mon justaucorps ?

— Non, ils parlent de ta modestie, réplique Rosalie.

— Ne vous moquez pas, la coupe Marius, figurez-vous que j'ai trois demandes en mariage pour Joséphine. Une seule pour vous.

Rosalie hausse les épaules.

— Des demandes en mariage ? s'étonne Anatole. Vraiment ?

Marius hoche la tête :

— Oui, il y a des gens qui proposent de nous héberger, d'autres qui veulent nous envoyer de l'argent, il y a aussi une dame qui va organiser un bingo pour nous aider à financer notre combat. Et je ne vous parle pas de tous ceux qui veulent se joindre à nous pour la prochaine action. On va y arriver, camarades ! Le maire va plier, il ne peut en être autrement.

— Tu parles, Charles ! grogne Gustave, qui n'a pas ouvert la bouche depuis le début. Le maire n'en a rien à faire de toutes nos pitreries, autant pisser dans un violon.

Tous les regards se posent sur lui. Gustave grognon et grossier, c'est inédit.

— On est mal luné, chaton ? demande Rosalie.

Gustave fait la moue :

— Ma fille m'a appelé.

— C'est une nouvelle extraordinaire ! s'écrie Joséphine, envoyant mon tympan au cimetière. Depuis quand ne vous avait-elle pas parlé ?

— Vingt-trois ans, répond Rosalie à sa place. Elle voulait quoi, Miss Univers ?

Gustave secoue la tête.

— Vous n'imaginez pas comme j'étais heureux de l'entendre. Je croyais qu'elle m'avait enfin pardonné, qu'on allait pouvoir rattraper le temps perdu. J'ai déchanté au bout de deux secondes. Elle était glaciale. Elle m'a dit que j'avais passé l'âge de me ridiculiser, qu'on était une bande de vieux clowns pathétiques, et que je ferais bien de profiter de l'occasion pour tirer un bon prix de ma maison et partir en Ehpad.

Il se tait, la tête basse. Anatole lui tapote l'épaule.

— J'ai jamais pu la sentir, finit par dire Rosalie. Déjà petite, c'était une peste.

— Oh, arrête ! s'offusque Joséphine.

Je ne peux m'empêcher d'intervenir :

— Tu te trompes, Rosalie, c'était une gentille petite. Mais on doit bien reconnaître qu'elle est devenue la reine des connes.

— Bon, on va fêter cet article ! s'exclame Marius pour détourner l'attention. J'ai du champagne au frais, j'attendais l'occasion.

Il fait nuit quand la réunion prend fin, et le sol n'est pas stable. Nous rassemblons les bouteilles vides et la vaisselle et prenons la direction de nos maisons. Le fauteuil d'Anatole zigzague. Rosalie chante à tue-tête, Marius s'époumone dans son saxophone, Gustave parle à son déambulateur, Joséphine compte les étoiles. Je n'arrête pas de rire. Je ris depuis des heures. Apparemment, c'est comme le vélo, ça ne s'oublie pas.

— Ils m'ont manqué, dit Anatole en entrant chez nous.

Je referme la porte et ne réponds pas. Heureusement que je n'ai pas bu un verre de plus, sinon j'aurais été capable d'avouer qu'à moi aussi ils ont manqué.

1978

Nous sommes assis au troisième rang. Au premier, Gustave retient ses larmes, tandis que Suzanne a renoncé. Face à l'autel, leur fille Françoise s'unit à celui qu'elle aime.

Une génération s'est écoulée depuis notre arrivée impasse des Colibris. Nous étions les jeunes mariés, les nouveaux adultes pleins de projets. Françoise n'était encore qu'un désir, Corinne un espoir, Didier un fœtus, et les voilà tous parvenus à l'âge que nous avions alors. Ils construiront un foyer, le rempliront de souvenirs, ils tisseront des liens avec leurs voisins, et, dans quelques années, nous serons au sixième rang, à assister au mariage de leurs propres enfants.

Corinne est le témoin de Françoise. Vêtue d'un tailleur crème et de chaussures à talons, elle ne quitte pas son amie des yeux. Six mois plus tôt, c'est elle qui prenait Philippe pour époux. Nous l'avons su par Françoise, elles s'étaient réconciliées. Nous n'étions pas invités. Ils se sont mariés seuls, à la mairie, simplement accompagnés de leurs témoins. J'ai passé deux jours à pleurer.

Après son départ de la maison, Anatole a envisagé de porter plainte contre Philippe pour détournement de mineure. Je l'ai raisonné : cela ne ferait que compliquer les relations. Les premiers temps, la colère dominait. Il refusait d'entendre parler de sa fille. Elle l'avait abandonné, ravivant la blessure du départ de son père lorsqu'il était enfant. Je lui en voulais aussi, même si je pouvais comprendre sa révolte. Depuis toute petite, elle était éprise de liberté. Le temps a fait son œuvre. Françoise m'a donné le numéro de téléphone de Corinne. Je l'appelais régulièrement. Elle vivait dans l'appartement de Philippe, en ville. Elle avait abandonné ses études et venait de trouver un poste de secrétaire. Elle avait l'air heureuse, mais je la sentais sur la réserve. Un soir, elle est venue à la maison. Elle a frappé à la porte. Anatole l'a serrée fort dans ses bras. Le manque avait supplanté la colère.

Elle profitait d'un déplacement de Philippe. Il refusait qu'elle nous revoie. Anatole lui avait manqué de respect, il ne pouvait le supporter.

— Je vous aime, mais je l'aime aussi. Je ne peux pas trahir mon mari.

Elle est repartie en pleurant. Elle ne s'était même pas assise. Elle a emporté Poupina, sa poupée de petite fille.

Les mariés sortent de l'église sous les acclamations des convives. Suzanne et Gustave embrassent longuement leur fille, qui ne porte désormais plus leur nom. La mariée se jette dans les bras de son frère, Éric. Le marié sourit béatement. La famille s'est agrandie.

Tous les habitants de l'impasse des Colibris sont présents. Marie et André, tout juste revenus d'Inde, savourent la présence de Didier, accompagné de sa femme et de leur bébé. Joséphine est émue, Rosalie attend le vin d'honneur, Marius fait bonne figure. Blanche a demandé le divorce la semaine dernière et s'est installée chez leur fille Sophie. Depuis quelque temps, les doutes planaient et les rumeurs allaient bon train : si le saxophone de Marius ne se faisait plus entendre, les éclats de voix résonnaient souvent.

Nous regagnons nos voitures pour nous rendre à la salle de réception lorsque Corinne nous dépasse, la main de Philippe dans la sienne. Elle nous adresse un petit sourire.

— Bonjour, ma chérie ! je souffle.

Ils s'arrêtent, nous nous arrêtons, et j'étreins ma fille qui me manque tant. Ses bras s'enroulent autour de ma taille. Anatole est ému. Il tend la main à Philippe, qui la lui serre en hochant la tête.

— Je suis ravi de vous voir, déclare mon époux. Je vous ai envoyé deux lettres, j'ignore si vous les avez reçues. Je tenais à vous présenter mes excuses pour mon comportement de l'année dernière. J'ai eu peur pour ma fille, j'ai voulu la protéger. Elle semble

heureuse avec vous, nous aimerions avoir de bonnes relations. Je vous prie de me pardonner.

Dans les yeux de Corinne, je vois la petite fille qui dévale les marches le matin de Noël. Elle regarde son mari en souriant. C'est ce qu'elle attendait. Philippe passe la main dans ses cheveux :

— J'ai bien reçu vos lettres. Vous m'avez humilié, vos excuses n'effacent rien. Corinne est ma femme, vous pouvez continuer à la voir ou à l'appeler en cachette, c'est tout ce que vous aurez. Allez viens, Coco, on y va.

Chapitre 24

Grégoire a insisté pour jouer aux dames chinoises. Il a choisi les vertes, comme quand il était petit. Ce qui a changé, en revanche, c'est qu'il a oublié les règles. Il ne voit donc aucun inconvénient à ce que je saute plusieurs pions à la fois ou que je refuse un de ses coups « parce qu'il est interdit ». Je viens de gagner pour la cinquième fois d'affilée.

— J'ai vraiment pas de chance, souffle mon petit-fils.

— C'est un jeu de réflexion, mon chéri, ce n'est pas de la chance. Je suis plus intelligente que toi, tu dois l'admettre.

Il rit et range ses pions pour attaquer une nouvelle partie. Il y croit encore.

— Au fait, tu as retrouvé le cahier ? me demande-t-il.

— Quel cahier ?

— Le cahier de recettes que tu cherchais partout ce matin. Tu voulais faire un soufflé, tu disais que papy l'adorait et qu'elle avait une bonne recette, mais j'ai pas compris de qui tu parlais.

Je ne réponds pas, les yeux rivés sur le plateau de jeu. Grégoire saisit. Je n'ai absolument aucun souvenir de cette conversation. Un bout de ma vie a été effacé de ma mémoire. Mais ce qui m'effraie le plus, c'est que de nouveaux signes apparaissent. Je n'ai pas de cahier de recettes. Le seul que je connaisse, c'est celui que tenait la mère d'Anatole quand je vivais chez elle. Elle y consignait tous les plats qu'elle aimait concocter, en particulier un soufflé au fromage dont raffolait mon mari.

Je laisse Grégoire gagner la partie. Anatole se lève de la sieste et nous rejoint. Il est en forme.

— Alors, ta grand-mère a encore triché ? raille-t-il.

— À peine, répond le mauvais perdant. Au fait, mamie, j'ai oublié de te dire : tu peux arrêter d'écrire si tu veux.

— Arrêter d'écrire ?

— Oui, tu sais, je t'avais demandé de rédiger ton témoignage pour le diffuser et sensibiliser le public à votre cause. Je te vois prendre des notes parfois, donc je suppose que tu le fais, mais c'est plus la peine. Je continue d'écrire le feuilleton de votre lutte dans le journal, mais les gens sont déjà derrière vous, plus que ce qu'on pouvait espérer. On n'aura pas besoin de publier ton témoignage.

Je joue l'offusquée, « J'ai perdu mon temps, tu aurais pu me prévenir avant », mais en réalité cela m'importe peu. Grégoire croit que j'écris pour témoigner de notre combat. Je ne le détrompe pas, mais, depuis le début, c'est pour une autre raison que je le fais. Il le saura bien assez tôt.

1979

C'est le dernier soir de nos vacances en Bretagne. Pour l'occasion, nous dînons dans notre crêperie préférée de Morgat, vue sur mer. J'appréhendais ce séjour. L'été dernier, le premier sans Corinne, a été douloureux. Le chemin des falaises m'a paru moins beau, sans ses exclamations et ses questions sur l'Amérique.

Cette année, nous n'avons pas laissé de place à la nostalgie. Anatole et moi avons enchaîné les activités : promenades, voile et visite des alentours. Le soir, nous nous endormions épuisés, la tête pleine de souvenirs. Nous étions heureux à trois. Nous sommes redevenus deux. Il aura fallu quelques ajustements, mais la redécouverte de la vie de couple a quelque chose d'excitant. Nous n'avons même pas quarante-cinq ans, il est temps de construire de nouveaux projets.

— Je veux travailler.

Anatole lève les yeux de la carte :

— Pardon ?

— Je veux travailler. Je m'ennuie depuis que Corinne n'est plus à la maison, j'ai besoin de m'occuper. La collègue de Joséphine part à la retraite, le poste est vacant. Il s'agit de classer des papiers et d'accueillir les collégiens, j'en suis tout à fait capable.

Mon mari replonge dans la liste des desserts. Il prend son temps, fait part de son choix au serveur et me regarde enfin.

— Ma chérie, tu sais que mon père est parti quand j'étais tout jeune. Ma mère, paix à son âme, s'est retrouvée seule, sans revenu, avec un enfant à charge. Elle s'est débrouillée comme elle l'a pu, faisant appel à des associations ou à sa famille, mais il était hors de question qu'elle travaille. Cela ne se faisait pas. Une femme devait s'occuper de son foyer, surtout si elle avait des enfants. J'ai grandi entouré de femmes : ma grand-mère, mes tantes, mes cousines. Toutes, sans exception, tenaient le même discours. Une femme n'a rien à faire au travail, tout comme un homme n'a rien à faire à la maison. Je suis d'accord avec elles, je pense profondément que, si les hommes et les femmes se mettent à prendre la place les uns des autres, le monde tournera mal. C'est sans doute dû à mon éducation, je l'ignore, mais c'est ainsi. J'ai beau essayer d'envisager les choses autrement, je n'y parviens pas. Mais je vois les évolutions et, surtout, je te vois, toi. Je n'oublierai jamais ton sourire lors du spectacle de danse. Je sais que tu as besoin de liberté pour être heureuse. Notre fille, qui tient de toi, me l'a douloureusement appris.

Nous n'avons pas le même avis, mais le mien ne vaut pas plus que le tien. Je ne pensais pas dire cela un jour, mais, si tu penses que travailler te fera plaisir, alors je ne m'y opposerai pas.

Quand Anatole a demandé ma main, je le connaissais à peine. Je le trouvais beau, cultivé et charismatique, mais j'ignorais quel genre d'homme il était. Le mariage était comme un jeu de hasard, on découvrait le lot après s'être engagé. La veille de notre union, les questions se bousculaient dans ma tête. Et s'il était violent ? Et s'il était infidèle ? Et si je le décevais ? Tout était possible, mais, après vingt-quatre ans de mariage, je peux affirmer que, au jeu du hasard, j'ai gagné le gros lot. Anatole est râleur, il peut bouder comme un enfant, il est parfois caractériel et je n'ai jamais vu quelqu'un d'aussi maniaque. Mais je ne connais pas personne plus loyale, plus juste, plus droite, plus généreuse que lui. Néanmoins, la qualité que je lui préfère, c'est sa capacité à se remettre en question. Au fil des années, je l'ai vu s'ouvrir, se documenter, chercher à comprendre, faire preuve d'empathie, je l'ai vu grandir. J'ai connu un jeune garçon, je vis aujourd'hui avec un grand homme.

Si un jour quelqu'un tombe sur mes carnets, je serai certainement taxée de mièvrerie, et je ne pourrai m'en défendre. Seulement, sachez que l'amour n'est jamais ridicule. Ce qui l'est, c'est de ne pas oser lui donner l'éclat qu'il mérite.

Chapitre 25

Après le dîner, je ressens un besoin irrépressible de me rendre sur la place. C'est comme si elle m'appelait, comme si elle avait un message pour moi. J'ai rêvé d'elle la nuit dernière. Je n'arrive pas à accepter l'idée qu'elle puisse disparaître. La première fois que j'ai foulé son herbe, elle n'était qu'une jolie place. Elle est devenue tellement plus que cela. Elle est mon point d'ancrage, mon radeau, la terre de ma nouvelle vie, elle a porté mes craintes de jeune mariée, la naissance d'amitiés, toutes nos soirées de rires, les premiers pas de nos enfants, leurs premières cigarettes aussi, elle a accueilli nos secrets, nos espoirs et nos peines, elle est partout dans ma mémoire.

Quand j'arrive à hauteur des sapins, un monstre frisé essaie de m'assassiner.

— Rosalie, merci de tenir ton caniche si tu ne veux pas qu'il apprenne à voler.

Rosalie, jusque-là masquée par les arbres, approche, une cigarette entre les lèvres.

— Essaie, darling, et toi tu apprendras à creuser avec tes dents.

Je repousse le chien du pied, doucement car je préfère me méfier de ma voisine, et prends la direction opposée quand une lumière dans l'impasse attire mon regard. Je plisse les yeux, mon impression se confirme :

— Rosalie, regarde ! Il y a de la lumière chez Marie et André !

Le numéro 6 est inhabité. Au début, Marie et André revenaient de temps en temps, pour aérer, nettoyer et entretenir leur foyer. Voilà bien longtemps que nous ne les avons plus vus. Nous avons appris le décès de Marie dans le journal il y a deux ou trois ans.

Sans réfléchir, j'abandonne ma balade et je me précipite vers l'impasse. Rosalie me retient par le bras.

— Tu penses faire quoi toute seule ? Tu vas apprendre à voler aux cambrioleurs ?

— Alors viens avec moi, et allons chercher des renforts.

Elle ne se fait pas prier. En silence pour ne pas alerter les intrus, nous passons demander de l'aide à nos voisins, puis nous nous dirigeons vers la maison de Marie et André. Pour ne prendre aucun risqu nous nous sommes munis d'armes. Marius d'u batte de baseball, Rosalie d'un tisonnier, Gus d'une hache, moi d'une fourche.

— Joséphine, tu comptes vraiment te défendre avec un torchon ? chuchote Rosalie en levant les yeux au ciel.

— C'est la première chose qui m'est tombée sous la main, se défend-elle. Cela fonctionne avec les mouches.

— Tu aurais plutôt dû prendre un couteau à beurre, je murmure.

— Ou un coupe-ongles, glousse Gustave.

Anatole poste son fauteuil devant le portail.

— Si je vois quelqu'un, je fais le cri du toucan, annonce-t-il.

— Du toucan ? demande Marius. Pourquoi le toucan ?

— Bon, puisque vous n'y connaissez rien en ornithologie, je ferai la sirène d'alarme.

— Tout le monde est prêt ? s'enquiert Marius à voix basse.

Nous acquiesçons, même si je crois pouvoir affirmer que nous avons tous envie de courir nous cacher chez nous. Quand Anatole a émis l'idée d'appeler la police au lieu de jouer aux justiciers, nous avons préféré la fierté à la raison.

La peur n'a pas le temps de durer : le portail grince tellement qu'une fenêtre s'ouvre et qu'une tête apparaît.

— Qu'est-ce que vous faites làHAN ? crie la tête.

— Didier ? C'est toi ? demande Marius en connaissant la réponse.

La fenêtre se ferme, puis, quelques secondes plus tard, la porte s'ouvre. Didier nous rejoint dans le jardin de ses parents. À la lueur du lampadaire, je remarque qu'il a pleuré.

— Vous n'allez donc jamais me laisser tranquillAN ?

— On a vu de la lumière, on a cru que c'étaient des cambrioleurs, explique Gustave.

— Eh non, ce n'est que moi qui suis venu trier les affaires de mes parents. Je vide la maison, papa est mort le mois dernierAN.

La nouvelle nous fait un choc. Les épaules de Marius se courbent un peu plus. Il était le plus proche du couple.

— Je suis désolé, Didier, dit-il.

— Si on peut faire quelque chose, ajoute Joséphine.

Je pose maladroitement ma main sur son épaule. Il recule.

— Je n'ai pas envie de parler de ça avec vousAN. J'ai envie d'être seulAN.

Didier nous tourne le dos et retourne dans le foyer de son enfance. Nous regagnons nos maisons en silence. Seul Marius le rompt pour nous proposer de mettre nos actions en pause quelque temps, pour respecter la douleur du maire. Nous acceptons. Au moment d'entrer chez elle, Joséphine, émue, se tourne vers Rosalie et moi et nous prend dans ses bras.

1981

Romy, le professeur de danse, m'a téléphoné ce matin. Elle était affolée et m'a demandé de venir la voir à la salle en sortant du bureau. J'y ai pensé tout l'après-midi, pourtant j'avais beaucoup de travail. Joséphine est hospitalisée après une chute de trapèze. Elle s'est brisé la hanche. Quand je suis allée lui rendre visite, elle m'a accueillie d'un rire : « Il paraît que je deviens trop vieille pour le trapèze ! Je vais me mettre au parachute. »

Au collège où nous travaillons, tout le monde dit que Joséphine est une originale. Si c'est un compliment, je suis d'accord, mais souvent, dans leurs mots, je perçois une pointe de sarcasme. Partager mon bureau avec elle est un bonheur. Elle arbore toujours un air étonné, elle est drôle surtout quand elle ne cherche pas à l'être, elle parle toute seule et se répond, elle classe les dossiers par couleurs et tape à la machine avec les annulaires, parce que sinon ils ne servent à rien. Elle ne passe pas une journée sans évoquer son cher Gaston. Deux collègues se sont risqués à lui faire la cour, elle les a éconduits sans ménagement, outrée qu'ils n'aient pas deviné que son cœur était à jamais pris par un autre.

Avec elle et Suzanne, nous avons désormais un rituel auquel nous ne dérogeons qu'en cas de nécessité absolue : tous les samedis soir, après le dîner, nous nous réunissons chez Rosalie. Chacune apporte un gâteau ou une boisson, puis nous nous racontons notre semaine en attendant le début du générique. Alors, le silence se fait, et nous partons à Dallas, plonger avec délices dans les aventures de la famille Ewing.

Romy m'attend devant la salle municipale quand j'arrive. Elle a l'air soucieuse.

— Merci d'être venue, Marceline ! Je suis désolée de vous avoir dérangée, mais j'ai besoin de vous. Veuillez me suivre, s'il vous plaît.

J'obéis, elle me mène jusqu'au vestiaire, que je connais bien. Une longue robe bleue et des chaussures à petits talons sont posées sur le banc.

— Merci de revêtir cette tenue et de me retrouver dans la salle de danse, s'il vous plaît.

Romy n'est pas le genre de personne à qui l'on s'oppose. J'obéis en me posant mille questions.

Elle est seule dans la salle lorsque je la rejoins.

— Fermez la porte, s'il vous plaît, Marceline.

Encore une fois, j'obtempère. Je sursaute en découvrant, caché derrière la porte, Anatole en costume noir, qui me sourit.

Je ne comprends rien. J'ai échafaudé plusieurs scénarios, mon époux n'en était jamais un personnage.

Romy lance la musique. Anatole me tend la main :

— Je me suis dit que tu aimerais peut-être que nous dansions ensemble.

1982

Je pensais ne jamais revivre cela. Cet amour immédiat, qui serre la gorge et donne des ailes.

Corinne nous a appelés ce matin. Philippe a accepté que l'on vienne à la clinique.

Il est minuscule, on oublie à quel point ça l'est. Il a les cheveux bruns et les yeux qui cherchent les nôtres. Il a le menton qui tremble et les petits poings serrés. Il a la peau comme de la soie et le nez adorable. Il gémit quand il dort et rugit quand il a faim. Il fait briller les yeux de sa mère, le sourire de son père et les larmes de son grand-père.

Il est chaud, il est doux, je voudrais le garder pour toujours, tout petit dans mes bras.

Grégoire a un jour, et mon cœur déborde.

Chapitre 26

La semaine dernière, Anatole est revenu très pessimiste d'un rendez-vous avec le neurologue. Il ne m'a pas rapporté tous les propos, j'ai bien vu qu'il tentait de m'épargner, mais je le connais.

— Mener ce combat avec nos voisins est comme un bain de jouvence, m'a-t-il dit pendant le dîner. Mais, en réalité, c'est pour toi que je me bats. Si nos maisons sont vraiment détruites, je ne serai plus là pour le voir.

— Tais-toi, je ne veux pas entendre ça, ai-je rétorqué en lui enfonçant une cuillère de soupe dans la bouche.

— Écoute-moi, ma chérie, s'il te plaît.

J'ai posé la cuillère et je me suis calée contre le dossier de ma chaise, les bras croisés.

— Je n'ai pas peur de mourir, a-t-il repris. On ne nous a pas menti, on sait depuis le début qu'il y a une fin. Je me sens chanceux. J'ai fait un long voyage et j'ai eu le bonheur de te croiser sur mon chemin.

Plus de soixante ans que l'on avance ensemble, mon amour. Tu te rends compte que nous n'avons jamais dormi l'un sans l'autre ?

J'ai glissé ma main dans la sienne en espérant qu'il pouvait la sentir.

— Je ne vais quand même pas me plaindre parce qu'une maladie a décidé de venir troubler mon crépuscule, a-t-il poursuivi. Je suis heureux. Il y a simplement deux choses que je voudrais régler pour partir complètement serein.

— De quoi s'agit-il ? ai-je demandé, la gorge nouée.

— Je veux être sûr que tu t'en sortiras sans moi. Cette maison devient vieille, il faut refaire la toiture, la façade, et je ne parle pas de l'isolation. Je ne suis plus capable de m'en occuper. Je ne suis pas naïf, tu ne veux pas me le dire, mais toi aussi tu es malade. Je ne serai pas tranquille si je pars en te laissant ici. Je sais que tu ne veux pas en entendre parler, mais j'aimerais qu'on aille visiter une maison de retraite. La résidence des Pins a bonne réputation. On pourrait s'y installer ensemble, dans un premier temps.

J'ai retiré ma main et plongé la cuillère dans la soupe :

— Et la seconde chose ?

Il a dégainé son sourire charmeur :

— Je veux revoir Corinne.

La résidence des Pins est comme moi : elle ne mérite pas sa réputation. Stéphanie, une aide-soignante, nous guide à travers les couloirs.

— Nous arrivons dans l'aile « Bora Bora », récite-t-elle, elle est reconnaissable à sa couleur bleue. Chaque aile porte un nom qui fait voyager.

L'odeur aussi fait voyager. Stéphanie ouvre une porte et nous invite à entrer.

— Voici une chambre standard. Ici, la salle d'eau, là, le placard, une vue sur le collège et un lit médicalisé. Vous pouvez apporter quelques meubles pour vous sentir chez vous, je vous ferai visiter le logement de madame Monin, vous verrez comme c'est douillet.

Le regard d'Anatole me supplie de fuir. Il ne m'en faut pas plus.

— Merci infiniment de votre temps, mademoiselle, dis-je à la jeune femme, mais nous ne sommes pas intéressés.

Elle interrompt son monologue, l'air étonné :

— Vous ne voulez pas aller au bout de la visite ? Je sais que c'est un peu difficile de se projeter, mais notre résidence est l'une des plus accueillantes de la région.

— Je n'ose imaginer les autres, je laisse échapper en balayant du regard la chambre minuscule et sombre.

— C'est vous qui nous avez contactés, rétorque-t-elle, vexée. De toute manière, on a une liste d'attente de plusieurs mois.

— Alors c'est parfait ! conclut Anatole en engageant son fauteuil dans le couloir.

En regagnant la sortie, nous passons devant une grande pièce où sont assis plusieurs pensionnaires face à un téléviseur. Certains dorment, d'autres gémissent, un monsieur plus jeune que moi m'agrippe le bras en m'appelant maman. Lorsque la porte s'ouvre sur l'extérieur, un soulagement intense m'envahit.

Grégoire nous attend devant la voiture. Il nous dévisage, guettant notre réaction.

— Je ne veux pas vivre dans un tel endroit, affirme Anatole.

— Moi non plus.

— Tant mieux, fait Grégoire en aidant son grand-père à s'installer. Malgré le caractère de mamie, je préfère vous prendre chez moi plutôt que vous laisser là-dedans.

— Alors on va peut-être réfléchir, dis-je en attachant ma ceinture.

J'ai rarement été aussi heureuse de retrouver mon foyer. J'accroche mon sac dans le placard de l'entrée et je me dirige vers la cuisine en espérant qu'Anatole a oublié la suite.

— Marceline, on n'a pas fini !

J'envisage un instant de feindre la perte de mémoire, après tout ce serait crédible, mais je sais combien cela compte pour lui.

— Ce n’est pas moi qui l’appelle, je marmonne.

— Non, c’est moi. Mais je voudrais que tu sois à mes côtés.

1983

C'est la première fois que je me fais coiffer « Chez Rosy ». Rosalie a ouvert son salon la semaine dernière, et la décoration est à son image. Un juke-box enchaîne les morceaux de jazz, les miroirs sont entourés de spots, et les murs couverts de photos d'elle au sommet de sa gloire.

— Alors, je suppose que tu gardes ton éternel carré ?

J'acquiesce. J'ai tenté une coupe courte une fois, sur les conseils de mon amie. Dans le miroir, je voyais mon père, et le mascara ne lui seyait pas.

Il ne faut pas longtemps à Rosalie pour aborder son sujet favori du moment :

— J'avais raison ! Jeanine est partie ce matin.

— Non ?

— Comme je te le dis ! C'est Suzanne qui me l'a répété, elle l'a croisée, sa valise à la main.

Jeanine a épousé Marius il y a deux ans. Elle est l'exact opposé de Blanche, comme s'il avait voulu annuler le passé.

— Elle compte demander le divorce, poursuit Rosalie.

— Elle aussi ? Mais que peut-il donc bien faire pour que toutes ses femmes le quittent ?

— Il ne parle que de lui, ne s'intéresse pas à elles, ne les satisfait pas au lit et les trompe dès qu'il en a l'occasion. Ah, et il pue des pieds !

J'écarquille les yeux. Rosalie éclate de rire.

— Ne sois pas choquée, darling ! Il fallait bien que je le teste pour comprendre pourquoi Blanche était partie. Tu devrais me remercier, grâce à mon sacrifice, nous savons.

Je reste muette. Mon amie parle rarement de ses relations avec les hommes, même si je sais qu'elles ne sont pas rares. Rosalie affirme que l'humain n'est pas fait pour passer toute sa vie avec la même personne. « Pourquoi se contenter d'un sucre d'orge quand on peut croquer toutes les confiseries ? » m'a-t-elle demandé un jour. Je comprends son point de vue, même si je préfère faire attention à mes dents.

— Marius est un bel homme, reprend-elle, mais il confond les femmes avec son saxophone. Il pense qu'il suffit de suivre la partition pour qu'elles se mettent à chanter. Il n'a pas trouvé les touches magiques, si tu vois ce que je veux dire.

— Je vois, je te remercie pour l'image.

— Tu es tellement prude, darling ! Tu mérites ton carré court.

J'ai de la peine pour Marius. Ce soir, je préparerai une part supplémentaire de gratin et je la lui apporterai. Il n'est pas des plus commodes, il perd beaucoup d'énergie à se plaindre de ses conditions de travail, du gouvernement, de la mairie qui n'entretient pas suffisamment la place, mais il a bon fond. Je l'ai vu passer des heures à dépanner un automobiliste sur la place, attraper des coups de soleil pour aider André et Marie à réparer leur toiture après une tempête, je l'ai vu se mettre à quatre pattes pour servir de cheval à ses filles hilares, je ne peux pas croire qu'il mérite son sort.

— Ne t'inquiète pas pour lui, déclare Rosalie comme si elle lisait dans mes pensées. Je parie qu'il a déjà trouvé sa prochaine femme, et qu'elle ne tardera pas à emménager impasse des Colibris.

Anatole m'attend dans le jardin quand je rentre. Par la porte ouverte me parviennent des pleurs d'enfant. J'accours à l'intérieur, mon petit-fils est allongé par terre, écarlate, les joues inondées. Je le prends dans les bras et me tourne vers mon mari. Il secoue la tête d'un air désolé :

— Nous avons un petit problème.

Chapitre 27

Corinne a l'air heureuse d'entendre son père. Elle nous appelle souvent, l'inverse n'arrive jamais.

Il prend des nouvelles. James et elle sont arrivés dans leur nouvelle maison, à trois heures de chez nous, à deux minutes de chez Grégoire. Le dépaysement est total, après tant d'années aux États-Unis. Ils ont un grand jardin, ils y seront bien pour la retraite.

Elle parle un peu de Grégoire, confie tout le bien qu'il lui raconte de nous, elle est contente qu'on se soit retrouvés.

Elle demande de mes nouvelles. Alors, il lui dit. Pour lui, pour moi. La santé qui se fait la malle. L'avenir qui rétrécit.

— On aimerait beaucoup te revoir, Corinne, souffle Anatole.

C'est le vide qui lui répond. La communication a été coupée. Il rappelle. Répondeur. Il laisse un message. On attend toute la soirée. Elle ne rappelle pas.

Chapitre 28

Il est neuf heures du matin. Je sais que c'est elle qui frappe avant même d'ouvrir la porte.

Elle a les cheveux courts et des rides autour des yeux. Elle a les ongles rouges et la bouche aussi. Elle a le sourire qui n'ose pas et des larmes sur les joues.

Corinne est là, et le cadenas sur mon cœur explose.

1984

Corinne n'a pas eu le choix. Philippe est parti avec la voisine. Elle ne s'en remettait pas, elle n'avait pas la force de s'occuper de Grégoire. On lui a proposé de revenir vivre à la maison, elle a refusé.

— Si Philippe change d'avis, je veux être chez nous.

Grégoire s'est accroché à la jambe de sa mère. Il n'avait pas deux ans, mais il avait compris.

C'était il y a trois mois.

Corinne téléphone deux fois par semaine pour prendre des nouvelles de son fils et donner des siennes. Elle voit un psychiatre qui l'aide à surmonter la rupture.

Nous avons essayé de confier Grégoire à une nourrice pendant que nous étions au travail. Le premier jour, il a pleuré du matin au soir. On a espéré que le lendemain se passerait mieux. Le deuxième jour, il a pleuré du matin au soir. On a pensé que le lendemain se passerait mieux. Le troisième jour, il a pleuré du matin au soir. J'ai arrêté de travailler.

Anatole est allé discuter avec Philippe. Il est revenu avec un œil au beurre noir.

— Lui, il en a deux, a-t-il assuré.

Je m'inquiète pour ma fille. Je suis allée la voir dimanche dernier, elle a la peau sur les os. J'ai ouvert toutes les fenêtres, elle vit dans les vapeurs d'alcool et de tabac.

Grégoire est un petit garçon attachant, je pourrais passer mes journées à le regarder parler à son petit train en bois dans un langage que lui seul comprend, poser ses mains potelées sur mes joues, croquer dans les cerises du jardin, rire quand le chien de Rosalie lui lèche le bout du nez, s'endormir en serrant Poupina contre lui. Le jour où il partira, mon cœur se déchirera comme une feuille de papier, mais je serai rassurée. Il sera à sa place, auprès de sa mère.

Je tire doucement la porte de la chambre, en veillant à la laisser entrouverte. Il a peur du noir.

— Ça y est, il s'est endormi, dis-je à Anatole en le rejoignant dans le séjour.

— Marceline, cela ne peut plus durer. Corinne dépérit sous nos yeux, on doit faire quelque chose pour l'aider.

— Je sais, mais je ne vois pas comment. Laissons le temps adoucir son chagrin.

Il se lève brusquement.

— Mais on n'a pas le temps. Il y a un petit garçon qui a besoin de ses parents. Son père se désintéresse de

lui, trop occupé à vivre son histoire d'amour, pendant que sa mère se morfond.

— Tu es dur avec elle. Elle est dévastée.

— Et le gosse ? Il n'est pas dévasté, lui ?

À peine a-t-il fini sa phrase que les larmes s'échappent de ses yeux. Il les essuie d'un geste rageur. Je me lève et l'enlace avec douceur. Ses sanglots redoublent. La situation éventre ses cicatrices d'enfance. Il met plusieurs minutes à se calmer. Alors seulement, je lui fais la promesse de trouver une solution.

Le lendemain, je suis chez Corinne à l'aube.

— Il faut qu'on parle, dis-je sur un ton sec. Mais, d'abord, va te brosser les dents, on dirait que tu héberges une famille de sangliers dans la bouche.

Je l'attends dans l'entrée quand elle sort de la salle de bains, douchée. J'ai commencé à rassembler quelques affaires.

— Qu'est-ce que tu fais ? s'étonne-t-elle en avisant le petit tas de vêtements à mes pieds.

— Moi, rien. Toi, tu viens vivre chez nous.

— Hors de question, réplique-t-elle en se dirigeant vers la cuisine.

Je l'attrape par le bras et l'oblige à me faire face.

— Corinne, écoute-moi bien. Tu ne vas pas bien du tout, et ton fils non plus. Il faut que quelqu'un t'aide. Tu as le choix : soit tu reviens à la maison, soit on demande ton hospitalisation.

Chapitre 29

C'est comme si elle n'était jamais partie. C'est viscéral.

Au téléphone, c'était facile de résister. Elle ne pouvait pas enfoncer ma porte juste avec sa voix. Mais son odeur, son sourire, son regard, sa fossette… Ma toute petite fille existe encore.

Nous ne parlons pas de ce qui s'est passé. Parfois même, pendant plusieurs minutes, nous ne parlons pas du tout. Nous sommes ensemble, c'est tout.

Elle a eu un choc en nous voyant. Elle a essayé de ne pas le montrer, mais je la connais. Nous avons revêtu nos corps de personnes âgées.

Anatole lui raconte la visite de la maison de retraite, à grand renfort d'exagérations. Elle rit :

— Vous êtes dingues ! Jamais je ne vous laisserai là-dedans. Je suis revenue pour de bon.

Elle prend ma main. Je me laisse faire. J'ai envie de la croire, mais mes voyants rouges clignotent encore.

Elle nous raconte sa vie de l'autre côté de l'Atlantique, la vente du restaurant, plus rapide que prévu, ses amis, le soleil qui va lui manquer. Elle était heureuse, là-bas. La petite fille sur la falaise a réalisé son rêve.

— Pourquoi êtes-vous revenus en France ? je demande.

— Pour Grégoire. C'est ici qu'il fait sa vie, je ne supportais plus d'être loin de lui.

Je sais tellement.

Elle nous pose des questions sur notre santé, on essaie de ne pas l'affoler, mais, même en prenant des pincettes, c'est affolant. Elle pleure beaucoup. Elle bafouille quelques excuses, des regrets, Anatole l'interrompt :

— Nous avons perdu assez de temps, n'en perdons plus en ressassant le passé.

Elle promet de revenir vite, en train c'est rapide, à peine plus de trois heures. Dès qu'ils auront fini de s'installer, James et elle viendront investir la chambre bleue. On s'embrasse longuement. On la suit du regard jusqu'au portail. Elle se retourne :

— Vous savez ce qui serait formidable ?

Anatole et moi secouons la tête.

— Qu'on parte tous ensemble dans la longère de Morgat.

Chapitre 30

Nous sommes réunis au QG, à débattre de la nécessité de lancer une nouvelle action, connaissant la fragilité actuelle du maire. Le groupe est scindé en deux : ceux qui pensent que l'on peut faire une petite pause et profiter de la couverture médiatique déjà importante, et Rosalie, décidée à ne pas lâcher les armes :

— Ah bravo ! Didier joue sur la corde sensible et vous êtes prêts à abandonner vos maisons. Je vous savais pisse-froid, je n'imaginais pas à quel point.

Je suis assez d'accord avec elle, après tout le maire n'a aucun scrupule à nous jeter dehors alors que nous sommes plus proches du meuble en kit que de l'humain, mais je ne lui ferai pas le plaisir de l'avouer. Seule contre tous, sa voix s'évapore et la décision de laisser le maire tranquille quelque temps est prise.

— J'ai plusieurs demandes d'interviews, annonce Marius en consultant son téléphone. Essentiellement de la presse régionale, mais c'est toujours ça de pris.

Il s'interrompt soudain et devient blême.

— Marius, tout va bien ? s'inquiète Joséphine.

— Je ne sais pas… je crois, bafouille-t-il. Je viens de recevoir un message de Jean-Pierre Pernaut sur la page Facebook. Il veut nous recevoir au journal télévisé.

— Bien sûr ! je m'esclaffe. Moi, ce matin, j'ai pris le petit-déjeuner avec Dalida.

— Et pourquoi pas ? s'enquiert Joséphine.

— Ce n'est pas le vrai, affirme Gustave. Jean-Pierre Pernaut a autre chose à faire que contacter un groupe de vieux rebelles. Il a des équipes pour ça. C'est quelqu'un qui se moque de nous.

Marius hausse les épaules. Je suis effarée de sa crédulité. Je suis sûre qu'il pense que le déodorant au musc attire les femmes et qu'il n'urine jamais dans les piscines par peur d'être suivi par une traînée rouge.

— Nous allons vite être fixés, réplique-t-il. Il me demande un numéro où nous appeler.

— Donne-lui le mien, propose Rosalie. Je l'ai toujours trouvé sexy, Jean-Pierre.

Marius pianote sur son écran et pose son téléphone devant lui sans le quitter des yeux. Joséphine trépigne. Je me lève pour laisser les enfants entre eux lorsque l'air de *L'Internationale* retentit. Marius décroche sans attendre et enclenche le haut-parleur.

— QG des Octogéniaux, j'écoute.

— Bonjour, ici Jean-Pierre Pernaut. Vous êtes bien le leader du groupe ?

— Marius, pour vous servir, se rengorge-t-il. Mais vous, qu'est-ce qui me prouve que vous êtes bien celui que vous affirmez être ?

L'interlocuteur se met à rire.

— Vous ne reconnaissez pas ma voix ?

— Si, admet notre voisin. Mais peut-être êtes-vous un bon imitateur.

— D'accord, d'accord. Comment puis-je vous prouver mon identité ?

— Laissez-moi réfléchir une minute.

Marius saisit son téléphone, trifouille l'écran, puis reprend la conversation :

— Je vais vous poser une question. Vous devrez me répondre dans la seconde, vous n'aurez pas le temps de chercher sur Internet. Si vous êtes bien celui que vous affirmez être, vous saurez.

— Très bien, répond l'homme d'un ton amusé.

— Dans quelle ville êtes-vous né ?

— Amiens, répond l'interlocuteur sans délai.

— Enchanté, Jean-Pierre Pernaut. Maintenant, nous pouvons discuter.

1986

Voilà bientôt deux ans que Corinne et Grégoire vivent à la maison. Nous avons reconstruit un quotidien autour de cette nouvelle famille, et je dois avouer que je prends beaucoup de plaisir à m'occuper d'eux.

Ma fille travaille dans un restaurant du centre-ville, elle est serveuse. Elle commence tôt le matin, mais ne travaille pas le soir, c'était sa condition pour passer du temps avec son fils. Elle va mieux. Philippe l'y a aidée. Oublier un homme qui part sans explication, sans égard (mais avec une autre), en remplaçant sa vie d'avant par une nouvelle, en remplaçant son enfant d'avant par un nouveau, ce n'est pas si difficile. Il n'a jamais voulu revoir Grégoire. « Ça ferait du mal au gosse, faut pas le perturber », a-t-il argué. Le petit a longtemps réclamé son père, il lui rendait visite dans ses cauchemars, il s'immisçait dans ses jeux, puis de loin en loin, puis plus du tout.

Depuis quelque temps, Corinne fréquente un collègue, James. Elle en parle peu, mais son sourire le fait pour elle.

— Mamie, c'était beauuuu ! s'exclame Grégoire en me sautant dans les bras à la sortie de scène.

Le spectacle de fin d'année vient de se terminer. J'ai dansé deux fois : la première avec mes amies, la seconde avec mon mari. Anatole a pris goût à nos chorégraphies à deux. Il ne manque pas un cours, il insiste même les jours où je manque d'énergie. Il est assez doué, je dois dire, en particulier pour le tango, qui est ma danse préférée. Quand nous le pratiquons, j'oublie tout ce qui nous entoure, il n'y a plus que nous, ses mains, son regard, sa peau. Grégoire nous accompagne à chaque entraînement et nous encourage de sa petite voix. C'est notre plus grand admirateur.

— Vous êtes magnifiques, tous les deux, confirme Corinne en nous embrassant dans les vestiaires. On jurerait que vous venez de vous rencontrer.

— Arrêtez vos sucreries, intervient Rosalie en levant les yeux au ciel. Vous allez me filer des caries.

Nous rentrons tard, après avoir dîné dans la nouvelle brasserie du bourg. Dans le séjour traînent le petit train en bois de Grégoire, des billes et plusieurs livres que Corinne commence sans les finir. Anatole bougonne parfois, il aime quand tout est rangé, moi j'y vois la preuve qu'il y a de la vie dans cette maison. Le petit dort dans les bras de son grand-père. Il le dépose sur son lit, Corinne lui retire ses chaussures pendant que je clos ses volets. Nous fermons la porte doucement, bonne nuit petit amour.

Tous les matins, j'emmène Grégoire à l'école maternelle. Sa petite main dans la mienne, il me parle de son copain Jérôme, des billes qu'il a gagnées, il me demande pourquoi les nuages ne tombent pas du ciel et pourquoi j'ai des rayures sur le front, il affirme qu'il m'aime jusqu'au soleil et qu'il habitera toujours avec moi et sa maman. Tous les matins, j'effectue un voyage de vingt ans en arrière, quand ma fille me faisait les mêmes promesses, et je ne boude pas ma chance de pouvoir revivre ces moments précieux.

C'est étrange, la vie. J'ai grandi avec la certitude que le bonheur était suspect, qu'il était l'antichambre du malheur. C'était toujours au terme d'un dîner joyeux ou d'un week-end agréable que mon père piquait ses plus grosses colères. J'ai appris qu'il ne fallait pas relâcher son attention, que le mal attendait, tapi, que tout aille bien pour nous surprendre. J'ai toujours cette part de moi qui ne peut s'empêcher de se préparer au pire, comme si cela pourrait atténuer son impact quand il viendrait se fracasser dans ma vie. Mais, au fil des ans, des décennies, ma pensée s'est nuancée. J'ai appris que, parfois, souvent, le bonheur est l'antichambre du bonheur. Surtout, j'ai appris que l'inverse était vrai : le bien attend, tapi, que tout aille mal pour nous surprendre.

Chapitre 31

Nous avons loué un minibus pour nous rendre à Paris. Grégoire est au volant. Il chante, il est heureux, il a le sentiment que c'est un peu grâce à lui, cette consécration : il est le premier à nous avoir dédié un article. Si seulement il pouvait avoir le bonheur silencieux.

Gustave s'est endormi, tête contre la vitre, bouche ouverte.

Anatole, assis à mes côtés, noircit des grilles de mots fléchés.

Rosalie observe le paysage.

Marius aide Joséphine à apprivoiser le téléphone mobile qu'elle vient d'acquérir.

— Darling, l'interpelle Rosalie, tu penses vraiment que quatre-vingt-trois ans est le bon âge pour s'intéresser aux nouvelles technologies ?

— L'âge ne veut rien dire, rétorque-t-elle, avant de s'adresser à Marius : je veux surtout pouvoir envoyer des photos.

Marius se lance dans des explications auxquelles je ne comprends rien. Rosalie m'adresse un regard entendu. Je l'ignore, mais je suppose que nous nous posons la même question : à qui donc Joséphine compte envoyer des messages ?

J'enfile des bouchons d'oreilles, je pose ma tête sur l'épaule de mon mari et ferme les yeux. J'ignore combien de temps je sombre, je suis réveillée par des rires.

Le minibus est bloqué dans des embouteillages. Sur la file de gauche, dans un car, des collégiens font un concours de grimaces avec Gustave. Joséphine, absorbée par son nouveau jouet, n'y prête pas attention. Grâce aux conseils de Marius, elle est en train de créer une page Facebook pour l'association dont elle fait partie.

— Les enfants d'aujourd'hui sont tellement mal élevés, grince Marius.

— Et toi, tellement vieux jeu ! le rabroue Rosalie.

— Je suis simplement éduqué, réplique-t-il. Mes filles ne se seraient jamais conduites de la sorte.

Rosalie ricane :

— On parle bien des deux petites qui ont peint en rose ma chienne Norma ?

Je me souviens de cet épisode. Rosalie était catastrophée, elle pensait que son caniche ne redeviendrait jamais abricot. Pour se venger, elle avait donné aux jumelles des tartines de chocolat fourrées à la moutarde.

— Cela n'a rien à voir, c'était de l'art, assène Marius.

Une exclamation met fin à la joute verbale. Gustave fixe le car scolaire, les yeux écarquillés. Deux gamins ont baissé leur pantalon et collé leurs fesses contre la vitre, provoquant l'hilarité de leurs camarades. Rosalie détache sa ceinture et se tourne vers eux :

— Je vais leur montrer mes seins, ça va les calmer !

— Range donc tes pommes séchées, tu vas les effrayer, dis-je.

— J'ai une meilleure idée ! propose Anatole.

Deux minutes plus tard, nous avons tous ôté nos dentiers et adressons nos plus beaux sourires aux écoliers. Gustave, zélé, fait claquer sa prothèse entre ses doigts. Les enfants ont l'air dégoûtés, l'un d'entre eux mime un vomissement. Nous ne pouvons en voir davantage, la circulation se fluidifie et le car nous distance.

— Dorénavant ils garderont leurs fesses au chaud, conclut Rosalie.

— Marius ! demande Joséphine, où puis-je trouver une couverture ?

— Je n'en ai aucune idée. Vous avez froid ?

— Non, c'est Facebook qui me demande une photo de couverture.

Grégoire hurle de rire. Je remets mes bouchons d'oreilles. Le trajet va être long.

Chapitre 32

C'est la deuxième fois que nous venons à Paris. Je garde un mauvais souvenir de la première. Dans notre groupe, seuls Rosalie et Marius connaissent la capitale. Grégoire, qui y a effectué ses études, commente les monuments sur notre passage. Devant la tour Eiffel, Joséphine s'extasie :

— Comme elle est belle !

— Tu pourrais l'escalader avec ton justaucorps, je propose.

Rosalie se cache pour pouffer. Joséphine replonge dans son téléphone.

Il est près de dix-sept heures lorsque nous arrivons à l'hôtel. J'ai mal partout et je meurs de faim. Nous avons fait halte sur la route pour nous restaurer, mais je n'ai rien avalé. Sur les conseils avisés de mon petit-fils, j'ai commandé un Big Mac. Je n'ai jamais réussi à ouvrir la bouche assez grand pour croquer dedans.

Nous logeons tous au premier étage. Mon mari et moi avons la plus grande chambre, privilège du fauteuil roulant. Après cet éreintant voyage, nous décidons de nous reposer avant de nous retrouver pour dîner.

— Bienvenue au paradis, poupée ! lance Anatole avec un clin d'œil. Je vais te faire vivre une nuit inoubliable.

— Je vais aller dormir avec Joséphine, je réponds en feignant la fuite.

Anatole rit. Nous n'avons dormi à l'hôtel que trois fois, dans les années quatre-vingt-dix, lors de championnats de danse. Je n'y prends pas beaucoup de plaisir, je me sens démunie face à cette profusion de services. Je suis incapable de quitter la chambre sans l'avoir nettoyée. Je n'oublierai jamais la tête du réceptionniste lorsque je suis descendue lui emprunter un aspirateur. J'ai bien fait d'insister, il y avait tellement de moutons sous le lit qu'on se serait crus en Irlande.

La valise est rapidement vidée. Je range nos vêtements dans les placards et nos affaires de toilette dans la salle de bains. Il nous reste près de deux heures avant de rejoindre le reste du groupe. Anatole, allongé sur le lit, me fait signe de le rejoindre. Je me couche à ses côtés et j'enfouis ma tête dans son cou.

Depuis mon plus jeune âge, j'ai peur de la mort. Je ne suis pas un cas isolé, tout le monde ou presque la redoute. Cependant, souvent, les gens ont peur de l'inconnu, du néant, de ce monde qui tournait avant eux et continuera après. Je n'ai pas peur du néant. L'idée que le monde continue de tourner après moi me réconforte. Parfois, je regarde un arbre, un bâtiment, un enfant, et je songe qu'il sera encore là, après. Non, ce qui m'effraie, ce qui me terrifie, c'est l'idée de ne plus jamais voir les personnes que j'aime. Particulièrement Anatole. Je suis au soir de ma vie, j'ai partagé plus de soixante ans avec mon mari, chaque journée, chaque nuit, et j'en veux encore. Je n'en ai pas eu assez.

J'ai consulté une psychologue, une fois. C'était après le décès de ma mère. Ma phobie avait pris les rênes de ma vie, chaque bon moment était gâché par la pensée qu'il s'agissait peut-être du dernier, que tout s'arrêterait un jour. Elle m'a écoutée en silence, puis, à la fin de la séance, elle m'a posé une question à laquelle je pense encore souvent :

— La vie aurait-elle la même valeur si elle durait toujours ?

Avec l'âge, ma peur s'est limitée à une petite place dans mon esprit. Elle se manifeste de temps à autre, mais ne me paralyse plus. J'ai vu tellement de personnes fauchées en pleine jeunesse que je ne peux me plaindre d'arriver au bout du chemin. Devenir vieux est un privilège. Par-dessus tout, j'ai compris que la vie ne serait pas aussi précieuse si elle était éternelle. Sans ce sablier dans un coin de nos têtes, sans doute ne chercherions-nous pas à profiter de chaque instant, à nous fabriquer de bons moments, à apprécier ce que nous offre l'existence.

Avec l'expérience, avec les uppercuts, cela se confirme. Plus nous approchons de la ligne d'arrivée, plus nous avons conscience de ce qui compte vraiment, plus l'insignifiant le devient. L'acuité est meilleure. Je n'ai jamais prêté autant attention aux jolies choses qui m'entourent que depuis que j'ai entamé la dernière ligne droite. Les gouttes de pluie qui rebondissent sur le sol, une abeille qui butine, la douceur du silence, la mélodie d'une voix aimée, la magie d'un corps qui vit, l'éclat du soleil sur une perle de rosée, le chant du merle, la caresse du vent. Nous sommes entourés de merveilleux.

Je reste un moment, allongée sur le lit moelleux, ma main qui écoute le cœur de mon aimé, ma tête qui se soulève au rythme de sa respiration. Il s'est assoupi. J'ai des fourmis dans le bras.

Rosalie, Joséphine, Marius et Grégoire sont déjà en bas quand nous les rejoignons pour dîner. Rosalie a mis tellement de fard à paupières qu'elle peine à ouvrir les yeux. Gustave n'est pas encore descendu.

— J'ai réservé un petit resto au coin de la rue, annonce Grégoire. Comme ça, pas besoin de sortir le minibus.

— J'espère que ce n'est pas un de ces endroits où on attend des heures pour être servi, bougonne Marius. Je ne veux pas me coucher tard, on doit être en forme pour demain. Jean-Pierre Pernaut compte sur nous, camarades !

— Faudrait déjà que Gustave arrive, soupire Rosalie. Il est capable de s'être endormi.

— Je vais le chercher, annonce Marius en se dirigeant vers l'ascenseur.

Il en ressort peu après, seul :

— Il ne répond pas.

— Ce n'est pas normal ! s'exclame Joséphine. Il lui est arrivé quelque chose.

— On n'a qu'à demander à la réceptionniste de nous ouvrir sa porte, propose Anatole.

Joignant le geste à la parole, nous nous dirigeons vers le comptoir d'accueil. La réceptionniste nous écoute attentivement, puis finit par déclarer :

— Je ne peux pas ouvrir la porte des clients sans raison, je suis navrée.

— Mais enfin, notre ami est peut-être en danger ! s'écrie Joséphine.

L'angoisse me contamine à mon tour. Sans douter un instant de ma crédibilité, je m'entends dire à la jeune femme :

— Si vous n'ouvrez pas, on défonce la porte.

Sans se départir de son sourire, elle répète :

— Je ne peux pas ouvrir la porte des clients sans raison, je suis navrée. De toute manière, si vous parlez du monsieur avec un déambulateur, je l'ai vu monter dans un taxi peu après votre arrivée.

1987

Nous sommes dans le séjour de Rosalie pour notre traditionnelle soirée du samedi. Les épisodes de Dallas *se sont tus, nous pas. Joséphine a préparé une tarte aux tomates que nous dégustons en dissertant sur la nouvelle fiancée de Marius ou sur la nouvelle coiffure – hideuse – de Marie. Les absents sont une source de conversation inépuisable.*

Suzanne est moins prolixe qu'à son habitude. Rosalie s'en inquiète :

— Tu as une petite mine, chérie ! Les blagues de Gustave commencent à te fatiguer ?

— Oh non ! réplique immédiatement Suzanne. Je suis toujours béate devant son optimisme : personne ne rit jamais à ses farces, pourtant il ne renonce pas. Mon mari est un héros.

Joséphine glousse :

— Moi, il me fait rire. Mais je ne le lui montre pas, sinon il se reposera sur ses lauriers.

— Alors, qu'est-ce qui te tracasse ? s'inquiète de nouveau Rosalie.

— J'ai un petit pépin de santé, répond Suzanne doucement, avant d'éclater en sanglots.

Nous nous levons toutes d'un bond et entourons notre amie.

Quand elle se calme enfin, après deux verres généreux servis par notre hôtesse, elle nous confie la terrible nouvelle. Un cancer du sein lui a été diagnostiqué hier. Les médecins affirment que la tumeur a été découverte tôt et que les traitements actuels sont efficaces, mais Suzanne a perdu le sommeil.

— Mais pourquoi tu n'en as pas parlé, chérie ? demande Rosalie. Tu as dû tellement t'inquiéter pendant tous ces examens !

— J'ai adopté la technique de l'autruche, je faisais tout pour ne pas y penser. Je préférais ne pas en parler, sinon cela devenait réel. Seul Gustave sait. On n'a encore rien dit aux enfants. Françoise a assez de soucis avec son petit dernier, et Éric prépare son mariage.

— Tu vas botter les fesses de cette foutue maladie ! s'exclame Rosalie en remplissant tous nos verres.

— On est là pour te soutenir, ajoute Joséphine en lui caressant le dos. Tu peux compter sur nous.

— Oui, on est tes amies ! affirme Rosalie. N'est-ce pas, Marceline ?

Je ne réponds pas. J'en suis incapable. Je suis sous le choc, tétanisée par la nouvelle. Comment est-ce possible ? Comment le sort peut-il être si cruel ? Je *comprends Suzanne, je ressens son angoisse. Ne pas dire pour ne pas rendre réel. Je me redresse lentement, fais quelques pas et me laisse tomber sur le canapé. Mes trois amies ne me quittent pas des yeux.*

— Marceline, tu ne dis rien ?

— Je ne peux pas, finis-je par souffler.

— Mais enfin, Suzanne a besoin de nous ! s'emporte Rosalie. Qu'est-ce que tu as, à la fin ?

Je ferme les yeux, j'inspire longuement et je gémis :

— Un cancer du sein, moi aussi.

Chapitre 33

La réceptionniste a appelé trois compagnies de taxis avant de trouver celle qui était venue chercher Gustave. Nous comprenons dès la révélation de la destination. Décision est prise de repousser le dîner et de partir retrouver notre ami. Mon estomac s'y oppose, mais je suis la seule à l'entendre.

À bord du minibus, tout le monde se tait. Anatole ne lâche pas ma main.

Les grilles du Père-Lachaise sont fermées. Il nous faut plusieurs secondes pour repérer Gustave, assis sous un abribus près de l'entrée du cimetière. Grégoire s'arrête à sa hauteur. Sans un mot, Gustave plie son déambulateur et grimpe dans le véhicule. Marius pose sa main sur son épaule.

— Ça va, mon ami ? s'enquiert-il.

— Je le lui avais promis.

Gustave a rencontré Suzanne dans un bal. Leur première danse a eu lieu sur *L'Hymne à l'amour*.

— C'est ma chanteuse préférée, a murmuré la jeune femme à l'oreille du jeune homme.

Instantanément, Édith Piaf est également devenue la chanteuse favorite de Gustave. Un tourne-disque et le vinyle de *La Vie en rose* furent leur premier achat commun lors de leur emménagement. Aucun disque ne manque à leur collection, la chanteuse a accompagné chaque moment de leur vie. Pour leur dixième anniversaire de mariage, Gustave a offert à Suzanne une place de concert. Elle lui a fait le même cadeau. Je me souviens du chagrin de Suzanne lors du décès de « la Môme ». Elle était inconsolable, elle avait perdu une proche.

— Je lui avais promis qu'on irait sur sa tombe un jour, soupire Gustave. Elle m'en parlait souvent, elle y tenait. Je ne me pressais pas, je pensais qu'on avait le temps. Je suis arrivé juste avant la fermeture, je n'ai jamais marché aussi vite. J'ai déposé sur la tombe d'Édith un bouquet de pivoines. C'étaient les fleurs préférées de Suzanne.

Joséphine essuie ses joues :

— S'il y a bien une chose que j'ai apprise, souffle-t-elle, c'est qu'on ne doit pas attendre pour faire plaisir à ceux qu'on aime. Mon Gaston rêvait de partir en Italie, la terre de ses racines. Je ne pensais qu'à avoir un bébé, l'Italie pouvait bien attendre. Les « trop tard » sont les plus grands regrets.

Je presse la main d'Anatole. Dans ce minibus, dans l'impasse des Colibris, nous sommes les seuls à être encore deux.

— J'ai rencontré quelqu'un, ajoute timidement Joséphine.

— On ne s'y attendait pas du tout, la raille Rosalie.

— Je m'étais promis de ne jamais retomber amoureuse. Mais, que voulez-vous, les promesses à soi-même sont les seules que l'on peut trahir sans blesser qui que ce soit.

— Qui est-ce ? interroge Marius.

— Vous ne le connaissez pas, il est membre de mon association, à l'hôpital des enfants. Je le croisais depuis longtemps, nous discutions de temps en temps, mais jamais je n'ai cru qu'il pouvait se passer quelque chose. Le jour où il m'a embrassée, j'ai compris.

— Ah oui, c'est assez clair comme message, dit Rosalie.

— La vie est pleine de surprises, poursuit Joséphine, des bonnes, des mauvaises. On ne décide pas grand-chose, finalement. Le vent nous claque des portes au nez et fait céder celles qu'on a fermées. Je ne sais pas si je l'aime, mais j'aime être avec lui. Il n'arrête pas de m'envoyer des messages, j'ai l'impression d'avoir vingt ans.

Je sens le regard d'Anatole sur moi. Je lui souris. Je suis heureuse pour Joséphine, même si elle ne semblait pas souffrir de la solitude, revoir son sourire béat est doux.

Mon mari ne me donne pas l'impression d'avoir vingt ans, voilà longtemps que je n'ai pas frissonné sous son regard, mais pour rien au monde je ne revivrais ces émois du début. Je leur préfère le lien solide tressé au fil des ans, la confiance gagnée, la rassurante connaissance mutuelle. Je me balade dans notre couple les yeux fermés, je connais chaque mur, chaque porte, j'y suis chez moi. Mon foyer, c'est nous deux.

1988

Il y a beaucoup de monde. Des voisins, des cousins, des collègues de Gustave, des amis, des commerçants. Suzanne semait sa bonté partout.

J'ai appris ma rémission un lundi. Le jeudi suivant, Suzanne apprenait que la maladie avait gagné. Elle a fini sa vie impasse des Colibris, entourée des siens.

Gustave et ses enfants font bloc. À l'église, leurs discours ont ému les plus solides. Les mots de Gustave m'ont dévastée.

« Ma chérie,

Je te cherche partout. Tu n'es pas dans la chambre, sous les draps brodés à nos initiales ; tu n'es pas dans le jardin, à bichonner les camélias ; tu n'es pas dans la cuisine, à mitonner ton fameux pot-au-feu ; tu n'es pas sur la place, à tourner ton visage vers le soleil ; tu n'es pas chez Françoise, à bercer ton dernier petit-fils ; tu n'es pas chez Rosalie, à rire avec tes amies.

Je pourrais parcourir la planète, te chercher dans chaque pays, dans chaque village. Je pourrais y consacrer ma vie, mais ce serait peine perdue. Tu n'es plus là.

Les draps sont toujours brodés à tes initiales, les camélias sont toujours en fleur, le soleil brille toujours sur la place, ton petit-fils aime toujours se faire bercer, tes amies rient toujours, mais tu n'es plus nulle part.

Je ne te chercherai plus. Je sais où te trouver. Je ferme les yeux et tu es là, je rejoue chaque moment avec toi, je vois ton sourire, j'entends ta voix, je sens ton parfum poudré.

Dans mes souvenirs, tu vis à tout jamais.

Je t'aime, ma Suzie. »

Nous passons le reste de la journée avec Gustave. Anatole et Marius lui tiennent compagnie pendant que Joséphine, Rosalie et moi trions les fleurs, les couronnes et les cartes de ceux qui n'ont pas pu être présents. Corinne ne quitte pas Éric et Françoise. Je les revois, enfants, innocents, prêts à dévorer la vie sans se douter de ce qu'elle leur réservait. Aujourd'hui, dans leurs habits gris, ils ont de nouveau trois ans.

Il est tard lorsque nous montons nous coucher. Nous repoussons la plongée dans le néant. Anatole s'assoit sur le lit, face au mur. Tout à coup, son dos est secoué de spasmes. Je le rejoins et l'enlace longuement. Nous restons là, de longues minutes, à pleurer notre amie et notre condition humaine. Anatole resserre son étreinte et lève son visage vers moi :

— Tu te souviens de ce que tu m'avais dit un soir ? Que tu ne pourrais pas vivre une seule journée sans moi. Je t'aime, ma chérie, si tu savais à quel point. Je t'aime depuis toujours, avant même de te connaître. Tu me manquais sans que je le sache. J'ai eu tellement peur quand tu étais malade…

Il essuie ses larmes du dos de la main et ajoute, dans un souffle :

— Je ne vivrai jamais dans un monde où tu n'es plus. Pas une seule seconde.

Chapitre 34

Je n'avais jamais été maquillée par un professionnel. De loin, j'ai une peau de pêche. De près, j'ai une peau de testicule.

La tension monte. Nous sommes dans la loge, attendant que l'on nous appelle sur le plateau. Dans vingt minutes, nous parlerons en direct devant plus de cinq millions de personnes. C'est vertigineux.

Grégoire nous explique en quelques mots le fonctionnement de l'interview télévisée. Nous devons formuler des réponses concises et claires, parler chacun notre tour et rester calmes.

— Plus vous aurez l'air sympathiques, plus les gens se rallieront à votre cause, explique-t-il.

Rosalie se gausse :

— Donc si Marceline ouvre la bouche, on est foutus.

— Qu'entends-tu par là ? je demande.

— Tu sais très bien ce que je veux dire. Tu es aussi aimable qu'une coloscopie, chérie.

Marius glousse. Gustave renchérit :

— C'est vrai qu'on dirait que vous êtes en permanence en train de jouer à « Tu me tiens par la barbichette ».

— Vous êtes injustes, intervient Joséphine. Il lui arrive parfois d'être agréable, tout de même !

Je n'ai qu'une envie : quitter cet endroit, rentrer chez moi et ne plus jamais croiser ces gougnafiers. Mais je suis là, coincée avec eux, alors je vais devoir leur faire face. Je regarde Rosalie :

— Tu t'y connais en amabilité, ma chère Rosalie, c'est sans doute pour cela que tu as autant d'amis. Le choix de ton héritier va être difficile. Ton caniche… ou ton caniche ?

— Ma chérie, doucement… chuchote Anatole.

Je ne l'écoute pas, ils ont fait sauter le couvercle. Les mots surgissent sans aucun contrôle.

— Et vous, Marius, poursuis-je, vous faites la leçon à tout le monde, vous êtes tellement intelligent, tellement au-dessus des autres qu'aucune de vos femmes ne s'est sentie à la hauteur.

— Vous êtes méchante, Marceline, rétorque-t-il.

— Méchante ? C'est moi la méchante ? Vous vous souvenez de ce que vous m'avez fait, Marius ? Ce que vous *nous* avez fait ? Moi, je n'ai jamais oublié ce matin où vous étiez avec André et Marie. Vous m'avez ignorée, vous nous avez jugés et condamnés sans chercher à vous mettre à notre place. Nous aussi, on a souffert !

Gustave se lève et me fait face. Mes joues sont inondées de larmes.

— Marceline, il faut que vous vous calmiez. Remuer le passé n'apportera rien de bon. Vous avez souffert, nous avons tous souffert. On a fait comme on a pu, de notre mieux. Nous avons tous des choses sur le cœur, mais ce n'est ni le lieu, ni le moment. On est à cran à cause du direct. Nous en parlerons à tête reposée, d'accord ?

J'acquiesce. Rosalie est écarlate, Marius fixe ses chaussures. Grégoire m'adresse un petit sourire compatissant. La porte s'ouvre sur un jeune homme équipé d'un casque. Nous sommes attendus en plateau.

1989

Je ne sais pas ce que je fais là.

En réalité, je sais ce que je fais là, et j'aimerais ne pas y être.

Mais pourquoi ai-je accepté ?

— Tu es prête ? me demande Anatole.

Il est beau dans sa tenue noire, ses cheveux gris plaqués. Son inquiétude se lit sur son visage.

— Je suis prête, je réponds avec conviction.

Lorsque Romy, le professeur de danse, nous a proposé de participer aux championnats de France de danse de salon, qui avaient lieu près de chez nous, j'ai d'abord cru qu'elle plaisantait. Anatole a immédiatement fait preuve d'enthousiasme. La compétition lui manque depuis qu'il a arrêté le tennis. J'ai accepté. Le championnat avait lieu six mois plus tard, c'était loin, c'était flou. C'est désormais trop net pour reculer.

— Vous serez les troisièmes à passer, nous explique Romy. Vous savez à quel point je crois en vous. Je ne vous ai pas choisis par hasard. Quand vous

dansez ensemble, c'est envoûtant, ce n'est plus de la danse, c'est de la magie. Vous nous embarquez avec vous. Alors laissez l'angoisse au vestiaire, et faites-nous rêver !

Le choix de la danse a été rapide. Le tango s'est imposé comme une évidence.

Mes jambes tremblent lorsque nous faisons notre entrée sur le parquet. Les deux couples précédents ont été brillants. Je cherche du regard Corinne, Grégoire, Rosalie, Joséphine et Gustave, mais je renonce vite. Il y a trop de monde. Les membres du jury sont concentrés. Nous nous mettons en place, je pose ma main contre celle de mon mari, son bras se fixe dans mon dos, le cadre est en place, je crains que les battements de mon cœur ne couvrent la musique.

Puis, la magie opère. Regreso al amor *entame sa plainte langoureuse. Le piano, le violon, l'accordéon prennent possession de mon corps, nos pieds glissent, les pas s'enchaînent, les figures se succèdent, Anatole et moi ne faisons qu'un. Quand la musique s'arrête, je voudrais continuer. Les applaudissements retentissent. Pour nous. Nous saluons. Dans les yeux d'Anatole, une flamme continue de danser.*

Romy nous accueille dans les coulisses avec euphorie.

« Vous allez gagner, c'est certain ! »

Lorsque les résultats tombent, elle est déçue. Nous, pas. En plus de la médaille de bronze, que nous n'espérions pas, nous avons gagné un souvenir qui ne s'effacera jamais.

Grégoire nous attend au pied du podium, fier comme un paon. Dans son esprit, ses grands-parents sont des héros. Quand Anatole lui passe la médaille autour du cou, il lui faut plusieurs secondes pour refermer la bouche. Toute la soirée, il ne quitte ni sa médaille, ni son sourire.

Nous dînons tous au restaurant où travaille Corinne. Elle n'est pas de service ce soir, mais à notre table. James, le chef cuisinier, vient à plusieurs reprises s'enquérir de notre bien-être. Ma fille glousse à chaque fois. Elle nous l'a officiellement présenté l'année dernière, nous avons immédiatement apprécié sa gentillesse et le regard qu'il portait sur notre fille – et sur son fils. James sortant, comme Corinne, d'une relation tumultueuse, ils ont décidé de prendre le temps avant de s'installer ensemble. Anatole a déclaré que, décidément, il ne comprenait rien à ces couples modernes, quant à moi j'ai assuré à ma fille que c'était un choix mature et réfléchi. Ce n'est que mentalement que j'ai ajouté que cela ne me déplaisait pas, bien au contraire, que ma fille et mon petit-fils restent sous notre toit.

J'aurais sans doute dû le formuler à voix haute.

Une fois rentrés, Corinne couche le petit et demande à nous parler. Elle semble gênée.

— Voilà, je ne sais pas trop comment vous dire ça… bredouille-t-elle. Je sais que vous voulez le

meilleur pour moi et pour Grégoire, donc j'espère que vous me comprendrez.

Ce zèle de délicatesse est de mauvais augure. Elle poursuit :

— Voilà, James veut monter son propre restaurant, et il m'a demandé de l'accompagner dans cette aventure. C'est un chef talentueux, tout le monde se l'arrache, il va avoir un succès fou. J'ai accepté.

— Bien, répond Anatole, sur la défensive. Et pourquoi prends-tu ces grosses pincettes pour nous annoncer cette bonne nouvelle ?

Corinne soupire, puis se lance :

— Parce que James veut monter le resto chez lui. À Los Angeles.

Les mots restent bloqués dans ma gorge. Anatole semble sonné. Corinne récite son argumentaire :

— C'est une bonne idée, il a raison ! Il s'est formé en France dans ce but, les Américains adorent notre gastronomie, les gens vont venir de partout. Et puis, vous savez combien je rêve d'aller aux États-Unis, c'est une chance inespérée. J'espère vraiment que vous m'encouragerez, sinon ma joie serait gâchée.

Ma fille se blottit contre moi. Je tente de paraître heureuse.

— C'est un beau projet, parviens-je à articuler. Vous partez quand ?

— On a réservé les billets pour le 7 avril, dans un mois. On logera chez des amis de James qui ont une chambre en trop, et on entamera les recherches

pour trouver le local une fois sur place. Ça risque de prendre un peu de temps pour tout organiser, j'ai peur que ça perturbe le petit, il n'a même pas sept ans, il a besoin de repères stables…

— Qu'es-tu en train de dire, Corinne ? la coupe brusquement Anatole.

Elle réfléchit quelques secondes et répond d'une voix tremblante :

— Je pense que ce serait mieux que Grégoire reste chez vous quelque temps.

Chapitre 35

Nous sommes assis face à Jean-Pierre Pernaut. Une quinzaine de paires d'yeux et cinq caméras sont braquées sur nous. Je n'ose penser à tous ceux qui nous observent sur leur écran. Je suis tétanisée.

Jean-Pierre Pernaut nous présente nommément, puis il résume notre combat en quelques mots, avant de lancer le reportage nous concernant. Des images de l'invasion du supermarché et du rap sont diffusées. Des rires se font entendre parmi les techniciens.

La parole est à nous. Le présentateur a préparé une série de questions. Une pour chacun. Il commence par la gauche. Gustave.

— Comment avez-vous réagi quand vous avez appris que la mairie avait pour projet de raser votre quartier pour implanter une école ?

Gustave s'éclaircit la voix et répond :

— Au début, ce n'était qu'une rumeur. Je ne voulais pas y croire, pourtant c'était vrai. À l'aise, Blaise, tranquille Émile, ils décident de tout détruire ! J'étais effondré. Elles ont quatre murs et un toit, mais ce ne sont pas des maisons : ce sont des boîtes à souvenirs. *Nos* souvenirs. Aucun bulldozer ne rasera notre mémoire.

Jean-Pierre Pernaut s'adresse maintenant à Marius :

— Dans le reportage, nous avons vu que le maire campait sur ses positions. Pensez-vous que votre action puisse le faire plier ?

— En tant que leader du mouvement, fanfaronne Marius, je peux vous affirmer que nous sommes déterminés. Nous ne nous battons pas uniquement pour nous, mais pour toutes les victimes d'injustices à travers le monde. Les puissants pensent pouvoir nous écraser sans conséquences, comme de simples fourmis. Nous allons prouver que, en s'unissant, les fourmis peuvent changer le monde.

Il cherche du regard la caméra qui diffuse son image, la fixe, lève le poing et s'écrie :

— Téléspectateurs spoliés, victimes d'injustices, Davids contre Goliaths, soutenez-nous ! Nous lutterons jusqu'à la mort !

Je suis étonnée. Il est resté sobre. Jean-Pierre Pernaut me sourit :

— Madame, vous semblez tous très unis. Peut-on dire que l'histoire de votre rue est avant tout une histoire d'amitié ?

Je sens le regard inquiet de Rosalie sur moi.

— Nous sommes arrivés dans l'impasse des Colibris en 1955, nous étions tous dans la vingtaine. Ensemble, nous avons vécu nos moments les plus marquants. Nos plus grandes joies, mais aussi nos plus grands chagrins. Cela crée un lien indéfectible. Je ne vais pas vous mentir : tout n'a pas toujours été rose, il y a eu des hauts et des bas. Mais je suis certaine d'une chose : si l'un d'entre nous a un souci, les autres seront là.

C'est au tour de Rosalie. Je tourne la tête vers elle, elle m'adresse un sourire.

— Pensez-vous qu'une nouvelle école soit vraiment indispensable à Trodilan ? lui demande le présentateur.

— Peut-être, si le maire le dit, je ne mets pas sa parole en doute, répond-elle en levant les yeux au ciel. Mais la commune est étendue, il y a plein d'autres endroits où la construire. Darling, en réalité, le maire a juste décidé de faire disparaître l'impasse des Colibris. Visiblement, à ses yeux, les vieux ont moins de valeur que les chiards.

Anatole prend une longue inspiration pendant que Pernaut pose sa question :

— Monsieur, j'imagine qu'à votre âge vous aspirez à la tranquillité. Ce combat ne vous fatigue-t-il pas trop ?

Mon mari hoche la tête :

— Nous sommes épuisés. Je n'ai jamais autant dormi que depuis le début de cette histoire. J'ai travaillé toute ma vie, vous savez, alors j'espérais une retraite paisible. À notre âge, on cherche surtout la sérénité. Mais je dois vous avouer que, finalement, je prends beaucoup de plaisir à fomenter nos actions, à avancer unis, à créer de nouveaux projets. Cela ajoute du piment à la vie. Nos corps sont fatigués, mais nos esprits vivent une nouvelle jeunesse !

Enfin vient le tour de Joséphine. Le présentateur n'a qu'une courte question pour elle :

— Madame, tout le monde parle de votre justaucorps fétiche. Il est devenu le symbole de votre lutte. Je suis déçu que vous ne l'ayez pas mis aujourd'hui.

— Bien sûr que si ! affirme Joséphine en souriant. Jamais sans mon justau !

D'un geste, elle fait sauter les boutons de son chemisier et bombe le torse. Il lui faut plusieurs secondes pour se rendre compte que son justaucorps fétiche est resté dans sa valise. Plus de cinq millions de téléspectateurs ont découvert notre histoire et le soutien-gorge écru de Joséphine.

1990

Grégoire est parti.

Corinne et James ont rapidement trouvé un local. Leur projet a séduit un investisseur, qui les a aidés à le finaliser. Le restaurant a ouvert moins de six mois après leur arrivée à Los Angeles. Comme ma fille l'avait pressenti, la touche française du chef a fait mouche. Ils n'en sont pas à refuser des clients, mais les recettes leur ont déjà permis de prendre un petit appartement. Il ne leur manquait plus que Grégoire. Elle a fait l'aller-retour pour venir le chercher. Anatole et moi avons accompagné l'avion des yeux jusqu'à ce qu'il devienne invisible.

À notre retour, la maison n'affichait plus aucune preuve de cette présence enfantine.

Je refuse de céder à la tristesse. La place de Grégoire est auprès de sa mère. Il sera heureux, là-bas, je devine même qu'il l'est déjà.

Le premier mois, il nous a écrit tous les jours.

Le deuxième mois, il nous a écrit toutes les semaines.

Le troisième mois, nous n'avons pas reçu de réponse à nos lettres.

Je remplis mes journées, j'accepte toutes les activités qu'on me propose, même celles que j'aurais fuies en temps normal. Je m'occupe l'esprit, la maison n'a jamais été aussi propre, le sol de la cuisine commence même à être délavé. Mes amies sont plus présentes que jamais. Rosalie me rend visite chaque soir en rentrant du salon pour me raconter l'anecdote du jour. Ma préférée reste celle de la cliente qui a demandé une coupe courte, comme l'actrice du film Ghost. *Rosalie s'est exécutée et a reproduit la coiffure à l'identique. La cliente n'a pas aimé le résultat, elle a donc ramassé ses cheveux et a demandé à Rosalie de les lui recoller. Joséphine m'apporte un gâteau approximativement deux fois par semaine, puis passe un moment chez moi, durant lequel elle engloutit les deux tiers dudit gâteau. J'avais même créé des liens avec Arlette, la nouvelle femme de Marius, mais, cette fois, c'est lui qui a souhaité divorcer. Il affirme désormais que la prochaine personne qui le verra nu sera l'entrepreneur des pompes funèbres. Anatole, quant à lui, essaie de combler le vide de la maison. L'air de rien, il laisse traîner des affaires par-ci, par-là, comme le faisait Grégoire, et qu'il ne le supportait pas. Je sais combien cela lui coûte. Je sais combien son petit-fils lui manque. Il fait passer mon chagrin avant le sien.*

Dans quelques semaines, nous serons réunis. Corinne a promis qu'ils viendront passer les vacances d'été avec nous, dans la longère de Morgat. J'ai acheté un joli calendrier, avec une photo de muguet, et je mesure chaque jour la durée qui me sépare d'eux.

1990

Nous sommes arrivés à Morgat. À peine une dizaine d'années que nous venons en vacances dans la longère, pourtant je m'y sens chez moi. Les lieux qui abritent notre bonheur sont toujours un peu chez nous.

Nous n'avons jamais eu aussi hâte d'arriver. La perspective de passer deux semaines avec Corinne et Grégoire nous imbibait d'impatience. J'ai ouvert toutes les fenêtres, fait les lits, j'ai coupé des roses pour les inviter dans la maison, puis nous sommes allés au port acheter du poisson fraîchement pêché. L'avion atterrissait en début de soirée, puis il leur fallait près d'une heure pour nous rejoindre. Tout serait prêt.

Sur le chemin des falaises, j'ai envoyé un baiser en Amérique. Les souvenirs affluaient. Anatole ne cessait de parler, trahissant sa joie.

J'ai préparé le poisson pendant qu'Anatole s'occupait des pommes de terre. Le plat a cuit tandis que je mettais le couvert. Nous nous sommes installés dehors pour les attendre. Le four a sonné. Le jour s'est couché. Le poisson a refroidi.

Terrifiés à l'idée qu'il ait pu leur arriver malheur, nous avons trouvé une cabine téléphonique et appelé James, qui était resté à Los Angeles pour s'occuper du restaurant. Je n'avais pas parlé à Corinne depuis trois semaines, elle passait son temps au travail, je me contentais de lui laisser des messages sur le répondeur. Peut-être avait-elle modifié l'horaire d'arrivée.

Au bout de trois sonneries, Corinne a répondu.

Elle était mortifiée, elle avait dû annuler sa venue et avait oublié de nous prévenir. Avec tout ce qu'elle avait dans la tête, il ne fallait pas qu'on lui en veuille, Grégoire le lui reprochait déjà assez, elle aussi se faisait une joie de nous voir, mais le restaurant affichait complet cet été, elle savait bien qu'elle oubliait quelque chose d'important, mais elle ne savait pas quoi, elle espérait qu'on passerait quand même de bonnes vacances, Grégoire nous embrassait fort.

Nous ne sommes restés que deux jours dans la longère. Nous y reviendrons l'année prochaine, nous ne voulions pas la polluer avec nos idées grises. De toute manière, il faisait moche.

Chapitre 36

Nous sommes dans le studio de la matinale de RTL. Après notre passage au journal télévisé, nous sommes devenus des rock stars. Tout l'après-midi, toute la soirée, nous n'avons pu faire trois pas sans être accostés par des supporters. La plupart nous ont encouragés à ne pas baisser les bras. Nous avons récolté nombre de félicitations, beaucoup de personnes nous ont fait part d'injustices dont elles avaient été victimes. C'était bien mignon, mais à la quatrième j'ai failli demander le paiement de la consultation. Les plus hardis ont souhaité se prendre en photo avec nous. J'ai fait une grimace sur chacune d'elles. Un jeune homme nous a même demandé de dédicacer l'article du *Monde* qui parlait de notre combat. Joséphine est la plus populaire du groupe. Elle roucoule à chaque compliment, tout juste se retient-elle de montrer son désormais célèbre soutien-gorge.

Marius nous a félicités pour notre prise de parole télévisée :

— Vous êtes des camarades hors pair. Le maire n'a qu'à bien se tenir, la France est derrière nous ! Que dis-je ? La planète est derrière nous !

Personne n'a évoqué la dispute dans les loges, même si je sais que personne ne l'a oubliée non plus.

De nombreux journalistes nous ont sollicités. Nous avons dû faire des choix, nous ne restons plus que deux jours à Paris. Notre planning du jour est chargé et débute par RTL. Je suis moins anxieuse qu'hier, moins maquillée aussi. L'animateur présente notre histoire aux auditeurs.

« On ne parle que d'eux, leurs noms sont sur toutes les lèvres. Depuis des semaines, ces six octogénaires, surnommés les "Octogéniaux", mènent une lutte acharnée contre le maire de leur commune. En cause : le projet de construction d'une école, qui entraînerait la destruction de leurs maisons. Bien décidés à ne pas se laisser faire, ils multiplient les actions pour pousser le maire dans ses retranchements. Vous avez forcément vu les images de leur invasion d'un supermarché un samedi après-midi ou de leur rap délirant, qui comptabilise à ce jour plus de deux millions de vues sur YouTube. Si la mairie de Trodilan campe sur ses positions, l'opinion publique, elle, a choisi son camp. Joséphine, Marceline, Rosalie, Marius, Anatole et Gustave sont en train de devenir de véritables idoles. Ils sont parmi nous ce matin. »

Les questions s'enchaînent, nous répondons à tour de rôle, Grégoire nous a préparés pendant le petit-déjeuner. Gustave ne peut s'empêcher de placer une blague par-ci, par-là, Rosalie tente de limiter les grossièretés, je fais tout pour rester concentrée. Ces derniers jours, avec la fatigue, mon esprit s'évade souvent.

— Nous allons maintenant prendre les questions des auditeurs, annonce le présentateur. La première est Fatima, de Paris, bonjour Fatima, nous vous écoutons.

— Bonjour à tous ! dit Fatima. Je voulais adresser un message à vos invités : vous êtes formidables, vous nous prouvez que l'on peut se battre à tout âge, vous êtes des exemples. J'espère que le maire saura écouter son cœur, en tout cas je suis avec vous, et je ne suis pas la seule.

Nous remercions Fatima, Marius lui propose de lui envoyer une photo dédicacée, puis nous passons à l'auditeur suivant.

— Bonjour, moi c'est Michel, de Limoges, je voulais vous demander si ça valait vraiment le coup, tout ça ? Je veux dire, ne nous leurrons pas, vous avez peu de chances de gagner. Il vous reste peu de temps à vivre, est-ce qu'il ne vaudrait pas mieux l'occuper avec des choses agréables ?

— Bonjour Michel, répond Rosalie, et merci pour votre question. Est-ce que vous jouez au Loto ?

— Ça m'arrive, admet l'auditeur.

— Pourtant, vous avez peu de chances de gagner. Il ne faut pas partir vaincu, chéri, sinon vous ne ferez jamais rien.

— Auditeur suivant ! annonce le journaliste. Françoise, de Toulouse, bonjour, que pensez-vous des Octogéniaux ?

— Bonjour et merci d'avoir pris mon appel.

Je reconnais immédiatement la voix de la fille de Gustave. Si j'en juge par son regard effrayé, il l'a reconnue aussi.

— Pour tout vous dire, poursuit-elle, je trouve ce petit groupe un peu ridicule. À leur âge, ils devraient montrer l'exemple, pas faire des pitreries devant la France entière. Mais j'ai une question à leur poser.

— Ils vous écoutent, répond l'animateur.

— Je voulais savoir : pensez-vous que la décision du maire ait un rapport avec l'accident qui lui a fait perdre l'usage de ses jambes ?

1995

Didier fête ses quarante ans. Je n'en reviens pas. Trente-neuf ans se sont écoulés depuis ses premiers pas sur la place, encouragé par tous les habitants de l'impasse des Colibris.

Pour l'occasion, sa femme a organisé une surprise : réunir tous ses amis. Elle prépare tout en secret depuis plusieurs mois, aidée par Marie et André, les parents du jeune quadragénaire.

Corinne fait partie des invités. Elle est arrivée ce matin, avec James et Grégoire. C'est la première fois que nous les revoyons depuis leur départ aux États-Unis, il y a cinq ans. Après trois annulations, nous avons arrêté d'espérer leur venue. Nous avons envisagé d'y aller, mais le médecin nous l'a déconseillé à cause de l'arythmie cardiaque d'Anatole.

J'essaie de ne pas en vouloir à ma fille, je promets que j'essaie. Le restaurant occupe la majeure partie de son temps, et sa vie est désormais de l'autre côté de l'Atlantique, dans ses rêves d'enfant. Elle nous appelle quelquefois, quand son emploi du temps le lui permet. Grégoire nous envoie une carte chaque été, depuis son camp de vacances.

Ils logent à la maison. Je n'ai rien préparé avant d'être absolument sûre de leur venue. Seulement alors, j'ai couru au supermarché pour remplir la cuisine de tout ce dont ils raffolent. Anatole a vidé les placards pour leur faire de la place. Ils ont prévu de rester une semaine.

Corinne a changé. Ses cheveux ont blondi et sa taille s'est affinée. Elle ne cesse de nous prendre dans ses bras en répétant à quel point nous lui avons manqué. Grégoire a les cheveux mi-longs et parle avec un accent américain. La distance géographique a créé une distance émotionnelle qui se ressent dans nos échanges. Il a tendu la main à Anatole pour le saluer.

Ce soir, nous sommes seuls avec lui. Corinne et James sont partis à la soirée surprise, il a préféré rester à la maison. Allongé sur le canapé, il ne lève pas les yeux d'un petit appareil sur lequel il ne cesse d'appuyer.

— Que fais-tu ? lui demande Anatole.

— Je joue à la Game Boy.

— Ah, répond mon mari, pas plus avancé.

Le silence s'installe.

— Tu as faim ? je demande à mon tour. J'ai prévu un gratin de pâtes au fromage, tu adores ça !

— Bof, j'ai pas très faim.

— Tu veux qu'on joue aux dames chinoises ? Tu étais imbattable !

— No thanks.

L'adolescent ne daigne pas lever les yeux de son écran. Mon petit-fils chéri a été échangé contre un prépubère insupportable. Mes espoirs pour ces retrouvailles familiales sont en train de se dissoudre dans la déception. Je fais une dernière tentative :

— Tu veux qu'on aille se balader ? On sonnera chez madame Martel et on partira en courant, comme avant !

Pour toute réponse, Grégoire se lève et monte dans la chambre.

Le message est limpide : il ne veut plus nous voir.

Je ne sais pas ce qui me prend. Un afflux de rage me propulse dans l'escalier, j'ouvre la porte de la chambre comme un cow-boy au saloon :

— Écoute-moi bien, mon petit. Je ne sais pas comment ça se passe en Amérique, mais ici il y a quelques règles, et la première, c'est le respect. Alors tu vas éteindre ton machin, tu vas venir dans le séjour, tu vas nous regarder dans les yeux et tu vas être un peu plus aimable. On pense à toi chaque jour depuis cinq ans, il est hors de question que l'on ait perdu autant de temps à penser à un petit malpoli. Je te laisse une minute, on t'attend en bas.

Je quitte la chambre en claquant la porte. Anatole est planté devant, les yeux écarquillés. Je dois faire la même tête que lui. Je n'ai jamais parlé à personne de la sorte, quelqu'un s'est emparé de mon corps. Il faudra que je pense à la remercier, car, trois heures plus tard, Grégoire va se coucher après avoir mangé du gratin de pâtes, gagné trois fois aux dames chinoises et appris à son grand-père à jouer à son jeu électronique. Notre petit-fils n'a pas totalement disparu sous sa mèche bouclée.

Je me couche comblée comme je ne l'ai pas été depuis longtemps.

Il fait encore nuit lorsque la sonnette nous tire du sommeil. Deux agents de police sont devant la porte. Il y a eu un accident.

23 juillet 1995

Page laissée blanche jusqu'en 2003,
je n'ai pas eu le courage d'écrire ceci avant.

Le jour où l'impasse des Colibris a explosé.

Corinne était au volant. James sur le siège passager. Didier et Éric sur la banquette arrière. La soirée était finie, les amis n'avaient pas envie de se séparer. Éric a émis l'idée de faire le tour des endroits marquants de leur enfance. Ils étaient excités. Ils riaient fort. Ils n'ont pas vu la fourgonnette.

Nous avons conduit Gustave et Grégoire à l'hôpital. Marie et André étaient sur place quand nous sommes arrivés. Nous n'avions que peu d'informations. Des médecins sont venus nous accueillir.

Corinne avait un traumatisme crânien. Ils l'avaient plongée dans un sommeil artificiel.

James était sur la table d'opération. Sa jambe avait été broyée, ils faisaient tout pour la sauver.

La colonne vertébrale de Didier était brisée à plusieurs endroits.

Éric avait de multiples fractures et plusieurs organes étaient touchés. Il était dans le coma.

Nous avons passé chaque minute de chaque journée aux chevets de nos enfants. Notre vie était entre parenthèses, suspendue aux paroles des médecins, l'espoir succédait au désespoir, nous étions assis dans des montagnes russes, appréhendant chaque virage et espérant que l'arrivée serait douce.

Elle ne le fut malheureusement pas pour tous.

Corinne a pu quitter l'hôpital au bout d'un mois, malgré quelques vertiges et maux de tête.

James a conservé sa jambe et les médecins ont promis qu'il ne garderait qu'une légère claudication.

Didier a définitivement perdu l'usage de ses jambes.

Éric a succombé à ses blessures.

Chapitre 37

Avant d'enchaîner les interviews cet après-midi, Grégoire a décidé de nous faire découvrir quelques endroits incontournables de Paris. La majeure partie de la visite s'effectue en minibus. Montmartre, la tour Eiffel, l'Arc de Triomphe, le Moulin-Rouge, les Invalides, nous apercevons les monuments de loin, nous en prenons plein les yeux, et surtout les oreilles. Joséphine se vide les poumons à chaque angle de rue.

— Si vous voulez, il nous reste un peu de temps, annonce Grégoire. On peut faire une vraie visite. Vous avez des idées ?

Ils en ont. Marius voudrait voir le Louvre, Rosalie aimerait aller à Notre-Dame, Gustave aimerait se balader le long de la Seine, Anatole voudrait se recueillir sur la tombe du Soldat inconnu, Joséphine a très envie de visiter le musée Grévin.

— Si tu aimes les statues de cire, tu n'as qu'à regarder Rosalie, je soupire.

— Je préfère ressembler à une statue de cire qu'à un beignet rassis, rétorque Rosalie.

— Arrête un peu, t'as le visage tellement tiré qu'à chaque fois que tu souris il faut te faire une épisiotomie.

— Si je peux me permettre, intervient Joséphine, il faut accepter les différences de chacun. Certains aiment les paysages bruts, d'autres préfèrent les paysages façonnés. Pour en revenir au musée Grévin, je ne voudrais pas avoir l'air de chercher à vous convaincre, mais on y trouve les statues d'Édith Piaf et de Marilyn Monroe.

Gustave et Rosalie sont acquis à la cause. Une heure plus tard, nous voilà donc à admirer des reproductions plus ou moins réussies de personnes plus ou moins connues. Des visiteurs sont en pâmoison devant Brad Pitt ou Michael Jackson, c'en est presque effrayant, cela me rappelle ma tante Lucette qui ne commençait pas une journée sans caresser Capri et Mina, ses chats empaillés.

Je parcours le musée en poussant le fauteuil d'Anatole. Il s'est endormi. Le jeu des interviews l'amuse autant qu'il le fatigue. J'ai hâte de rentrer à la maison et de retrouver notre rythme habituel. Grégoire me rejoint :

— Ça va, mamie ?

— J'ai l'impression d'être dans un film d'horreur, que je vais me faire attaquer par une statue de cire, mais tout va bien. Et toi ?

— Ça va. Je suis content de partager ces moments avec vous.

Je lui caresse la joue. La fatigue, sans doute. Anatole se réveille à cet instant, avec un besoin urgent de se rendre aux commodités. Grégoire l'aide à se lever pour parcourir les quelques mètres qui les séparent des W-C à pied.

Je les regarde s'éloigner, l'ancien soutenu par le jeune, et me reviennent en mémoire des bribes du passé, le petit Grégoire qui rit sur les épaules de son grand-père, Anatole qui fait tournoyer son petit-fils autour de lui, mon mari qui porte l'enfant dans l'eau de Morgat pour lui apprendre à nager. Je ne suis pas encore tout à fait capable de le montrer, mais je peux maintenant l'écrire : le retour de Grégoire est l'un des plus grands bonheurs de ma vie.

— Mamie, viens vite !

La voix de mon petit-fils m'extrait de mes souvenirs. Je trottine jusqu'aux toilettes des hommes. Grégoire est agenouillé, penché sur Anatole, allongé au sol.

Chapitre 38

L'attente est sans doute la chose la plus insupportable. Quand l'espoir se bat contre l'angoisse, quand on ne sait pas lequel sortira vainqueur.

Toute notre vie, on attend.

On attend de savoir s'il est vivant, on attend un enfant, on attend d'attendre un enfant, on attend un résultat, on attend un diagnostic, on attend que ça passe, on attend que ça s'arrête, on attend que ça marche, on attend les autres, on attend le bonheur, on attend la fin.

Nous avons annulé toutes les interviews. Le groupe au complet est à mes côtés dans la salle d'attente des urgences. Grégoire est livide. Je suis tétanisée.

Anatole avait repris connaissance quand le SAMU l'a déposé aux urgences, mais je ne serai pas rassurée tant que je ne le verrai pas.

La secrétaire appelle mon nom. Je m'éjecte de mon siège et m'approche d'elle.

— Le docteur vous attend, madame Masson. Box 8, suivez le fléchage bleu au sol, c'est juste après la porte battante.

— Merci, madame.

— Au fait, me glisse-t-elle au moment où je m'éloigne, je suis avec vous. Vous êtes géniaux, les Octogéniaux !

Je la remercie du bout des lèvres et suis les flèches bleues en tentant de calmer les battements de mon cœur.

Box 8. J'ouvre la porte coulissante.

Anatole est allongé sur le lit, vêtu d'une chemise d'hôpital. Il me sourit. Je m'élance vers lui en pleurs. Il me caresse la main et, d'un signe de tête, m'invite à me retourner. Un homme en blouse m'observe. Je lui tends la main.

— Bonjour docteur, je suis la femme de monsieur Masson.

— Rebonjour, madame, nous nous sommes vus à votre arrivée.

— Ah.

— Comme je vous l'ai expliqué, nous avons fait passer un scanner à votre mari. Il ne révèle aucune trace d'accident cérébral, ce qui est rassurant. Nous avons effectué une prise de sang, nous aurons les résultats rapidement.

— D'accord, dis-je en essayant de me remémorer ma rencontre avec le médecin. Avez-vous une idée de la cause du malaise ?

— Pas pour l'instant. Au vu de la maladie de monsieur Masson, et de son arythmie cardiaque, je préfère que nous pratiquions d'autres examens. La SLA entraîne une atrophie musculaire, je veux m'assurer que le cœur n'est pas endommagé. Nous allons le transférer au service cardiologie pour le garder sous surveillance. Nous en saurons plus demain.

— Demain ? Il va passer la nuit ici ?

— Tout à fait. Vous pouvez retourner dans la salle d'attente, vous serez prévenue dès qu'il sera en chambre.

J'assimile toutes les informations en hochant la tête. Le médecin se dirige vers la porte.

— Docteur ?

— Oui ?

— Puis-je dormir avec mon mari ?

Il secoue la tête :

— Malheureusement, c'est impossible. Vous pouvez rester jusqu'à vingt et une heures, mais le service cardio ne dispose pas de lit d'appoint. Ne vous inquiétez pas : une nuit, ça passe vite !

1996

Il y a quarante et un ans, Anatole et moi nous disions oui. C'est à Morgat, dans notre crêperie favorite, que nous célébrons notre amour. Nous n'avons pas fêté les noces d'émeraude l'année dernière, trop meurtris par l'accident. Nous nous rattrapons cette année.

La patronne, qui nous connaît bien, a élaboré une galette spéciale pour l'occasion, garnie de nos ingrédients préférés. Elle l'a appelée « Les inséparables », à l'image de ces oiseaux qui vivent en couple et qui se laissent mourir quand leur partenaire décède.

Quarante et un ans.

Parfois, j'essaie d'imaginer ma vie si je n'avais pas connu Anatole, mais cela ne dure jamais. Comment se représenter un monde sans lui alors qu'il figure dans tous mes souvenirs ? Enfant, lorsque je me réfugiais dans ma chambre après une colère de mon père, je fermais les yeux et je m'envolais vers mon avenir. J'imaginais l'homme qui viendrait me sauver, comme dans les contes de fées que nous lisions en cachette avec ma sœur. Il serait beau, fort, gentil et il m'aimerait plus que tout. Anatole n'est pas un prince charmant, mais il est venu me sauver. Je ne sais pas comment j'aurais traversé cette existence sans lui. Ensemble, nous avons grandi. Je me suis épanouie, il s'est adouci. J'ai ouvert ma cage, il m'a regardée m'envoler. Ensemble, nous avons déchiré les costumes dans lesquels on nous avait ligotés dès l'enfance. J'ai refusé de rester enfermée dans le rôle attribué aux femmes. Il a accepté de sortir du moule imposé aux hommes. Ce soir, ce n'est pas mon mari qui se tient face à moi. C'est l'homme que j'aime.

— Joyeux anniversaire, ma chérie ! murmure-t-il en me tendant un paquet.

Je l'ouvre sans attendre et découvre une petite boîte en bois noir orné de fleurs rouges. Deux initiales sont gravées sur la face avant : M. & A. Le couvercle se soulève en dévoilant un couple de danseurs qui tourne sur lui-même, accompagné d'une musique que je reconnaîtrais entre mille : Regreso al amor. *En y regardant de plus près, je m'aperçois que le danseur porte un costume noir et la danseuse une robe rouge. Anatole m'a fait fabriquer une boîte à musique représentant notre couple lors de notre premier championnat de danse. Je pourrais ré-épouser cet homme chaque jour de ma vie.*

Dans trois mois, il sera à la retraite. Rosalie m'assure qu'il ne faudra pas longtemps avant que l'on ne se supporte plus. Cela m'est déjà arrivé, je me souviens même nettement d'une année, durant la quarantaine, où j'ai sérieusement envisagé une séparation. J'ai parfois ressenti la même exaspération de son côté. Si cela se produit encore, j'ouvrirai ma boîte à musique et j'imaginerai mon mari en train de réfléchir au cadeau qui me ferait plaisir, aller voir un artisan et lui donner ses indications, je l'imaginerai découvrir le cadeau, être ému et compter les heures qui nous séparent de notre anniversaire, alors je suis persuadée que je pourrai le supporter encore un peu, malgré le présage de Rosalie.

Rosalie… ma chère amie.

L'accident a fait voler en éclats l'impasse des Colibris.

Gustave a plongé dans une profonde dépression après la mort de son fils Éric. Il est resté des semaines enfermé dans la pénombre. Tous les jours, avec Joséphine et Rosalie, nous lui ouvrions les volets, préparions à manger, faisions des courses, nous assurions qu'il se nourrissait. Il n'ouvrait la bouche qu'en cas de nécessité absolue. L'homme jovial et farceur que nous avions toujours connu était écrasé sous une chape de chagrin. Françoise, sa fille, était en vacances lors de l'accident. Gustave n'a pas voulu gâcher ce moment en famille, elle n'était pas partie depuis longtemps. Elle n'a pas pu dire au revoir à son frère. Elle ne veut plus parler à son père. Dans l'accident, Gustave a perdu ses deux enfants.

Il aura fallu six mois pour revoir un sourire sur son visage. Il était léger, presque une grimace, mais il était là. Nous voulions y croire. Avec le temps, Gustave allait se réconcilier avec la vie.

Marie et André ont rendu visite à Didier chaque jour au centre de rééducation. À son retour, ils se sont installés chez lui pour l'aider à apprivoiser sa nouvelle vie en fauteuil roulant. Ils y sont restés quelques semaines, durant lesquelles nous les avons peu croisés, puis ils ont décidé de partir. L'impasse des Colibris leur jetait à la figure le dramatique anniversaire de leur fils. Ils ont déménagé le mois dernier dans un petit appartement près de chez lui. Ils n'ont pu se résoudre à vendre leur maison, qui reste vide d'eux, mais pleine de souvenirs.

Un matin, avant leur départ, je suis sortie pour me rendre au marché. Marie et André discutaient avec Marius, devant chez lui. Je les ai rejoints pour les saluer, ils ont baissé la tête et m'ont ignorée. J'ai repris ma route, hébétée, sans comprendre ce qui venait de se passer. Le soir même, Rosalie m'a éclairée.

— Ils t'en veulent, chérie. Dans leur tête, tu es la mère de la responsable. Je leur ai dit que c'était complètement con, mais que veux-tu, ils sont malheureux.

Je n'en ai pas parlé à Anatole. Nous souffrions déjà suffisamment.

Depuis son retour aux États-Unis, Corinne n'a répondu à aucun de nos appels. Nous avons d'abord pensé qu'elle se reconstruisait, ou qu'elle se plongeait dans le travail pour oublier le drame. Un soir, n'y tenant plus, nous avons téléphoné au restaurant. En entendant notre voix, elle a raccroché. Une semaine plus tard, nous recevions une lettre.

« Maman, papa, je fais des cauchemars toutes les nuits, parfois même le jour. Il faut que j'avance. Il faut que j'oublie. Ce n'est pas votre faute, mais vous me rappelez l'impasse des Colibris. Éric. Didier. Vous me rappelez trop cette nuit-là. J'ai besoin de temps. Ne m'appelez plus, n'appelez plus Grégoire. S'il vous plaît. Je suis sûre que ça ne durera pas longtemps. Je vous embrasse et je vous aime. Corinne. »

J'ai froissé la lettre, je l'ai jetée à la poubelle et je suis allée dans ma chambre pleurer toutes les larmes de mon corps, puis enfiler un cadenas sur mon cœur, pour que plus jamais personne n'y accède.

Chapitre 39

Une nuit, ça passe vite.

Une nuit, ça passe vite.

Je tourne et vire dans le lit de la chambre d'hôtel en me répétant cette phrase du médecin.

Une nuit, ça passe vite. Tu parles.

Sans Anatole, le lit est trop grand, la chambre est trop grande, le monde est trop grand.

En soixante-trois ans, je n'ai pas passé une nuit sans mon mari. Ce n'est pas maintenant que cela va commencer.

Il est près de minuit quand je sors de l'hôtel. Le taxi m'attend devant.

Paris est encore plus belle de nuit. Si Joséphine voyait la tour Eiffel illuminée, elle ferait exploser toutes les fenêtres de la ville.

Il y a du monde aux urgences. Je me faufile dans le couloir qui mène au service cardiologie. Personne ne me remarque. On devient invisible en même temps que vieux.

Ma mémoire ne me fait pas défaut et me mène jusqu'à la chambre d'Anatole. Une infirmière traverse le couloir, je reste cachée quelques minutes. Quand elle disparaît dans la salle du personnel, je fais une chose que je n'ai pas faite depuis des années : je cours. Pas vite, si on me voyait, on pourrait croire que je fais du surplace, mais je cours à en perdre haleine. Enfin, j'entre dans la chambre et referme doucement la porte.

Anatole dort. Une machine enregistre ses fonctions vitales. Je caresse doucement sa joue, il entrouvre les yeux.

— Je t'attendais.

Il se décale et me fait une place dans le lit. Je me glisse sous le drap blanc. C'est inconfortable, sans doute dangereux – la moitié de mon corps est dans le vide –, mes rhumatismes me le feront payer, mais je suis à ma place.

— On se l'est promis, mon amour, je chuchote. Jamais l'un sans l'autre.

Chapitre 40

Action n° 5

C'est notre toute dernière action. Il fallait qu'elle soit inoubliable.

Lorsque nous arrivons, ils sont déjà des centaines, peut-être plus. Il est impossible de compter. L'appel a été lancé sur la page Facebook :

« Vous voulez soutenir les Octogéniaux ? Vous possédez une voiture sans permis ?

Rendez-vous jeudi à 7 heures, porte de Clichy. »

La page Facebook compte plus d'un million d'abonnés. Pourtant, aucun de nous ne s'attendait à un tel succès. Joséphine en est presque gênée :

— Vous êtes sûrs de vous ? Le public est de notre côté, là, nous allons les bloquer, c'est l'heure à laquelle ils vont travailler. On va se les mettre à dos.

— Tout combat occasionne des victimes, assène Marius.

Le débat est clos.

En descendant du minibus, nous sommes accueillis par un concert de klaxons. Marius salue la foule et s'empare de son porte-voix pour remercier les personnes présentes et transmettre les instructions. J'observe tous ces gens, des jeunes, des moins jeunes, des pas jeunes du tout, certaines voitures sont ornées de banderoles, je repère plusieurs personnes en justaucorps. Ils sont là pour nous. J'aimerais qu'Anatole voie ça.

Il était trop fatigué pour participer, mais assez en forme pour sortir de l'hôpital. Il est resté à l'hôtel. Aucun trouble grave n'a été décelé, le malaise reste inexpliqué. Les médecins lui ont recommandé du calme et du repos, il a promis en croisant les doigts.

— Je crois qu'ils m'ont pris pour un vieux, m'a-t-il soufflé lors de sa sortie.

Je suis prête à parier que, même sans fausse promesse, ils ne l'auraient pas gardé. Quand ils m'ont découverte dans son lit au petit matin, ils m'ont fait la leçon comme on ne me l'avait pas faite depuis l'école. Quand ils ont rejoint le couloir, je les ai entendus rire.

— En avant, camarades ! hurle Marius dans le porte-voix.

Nous prenons place à bord du minibus tandis que chacun démarre son véhicule. Grégoire ouvre la voie. Le périphérique commence à être chargé, mais les voitures sans permis parviennent à s'insérer facilement.

Bientôt, nous faisons bloc. Grégoire ralentit : nous avons prévu de ne pas rouler à plus de vingt kilomètres heure. Plus lente qu'une opération escargots : une opération escargots seniors.

Marius est euphorique. Par la vitre ouverte, il sort sa tête et chante *L'Internationale*. Les klaxons l'accompagnent. Il faut le voir, avec ses cheveux au vent et son sourire conquérant. Il faut les voir, tous, avec leur fierté en bandoulière. Et le chef de file, Grégoire, au volant, qui s'est réconcilié avec le petit garçon écartelé en lui.

1997

Rosalie avait vu juste. La retraite est un calvaire. Chaque jour, j'ouvre la boîte à musique en y cherchant une bonne raison de ne pas enterrer mon mari sous les rosiers. Je me ravise vite, je ne suis pas certaine qu'il ferait un bon engrais.

Vivre des journées entières avec quelqu'un, quelle que soit la force de l'amour qu'on lui porte, est inhumain. Certains animaux y parviennent, étrangement ce ne sont pas ceux qui vivent le plus longtemps.

Anatole n'a pas changé. Il est toujours le même homme drôle, droit et généreux, sans doute, mais j'ai le sentiment d'avoir une loupe braquée sur ses défauts. Même ses qualités paraissent plus ternes. Il en a autant à mon service, je surprends parfois son regard las sur moi et je le soupçonne de simuler des problèmes intestinaux pour s'isoler dès qu'il le peut dans les toilettes.

Les disputes se multiplient, de plus en plus violentes. La dernière en date a laissé des séquelles. Elle a débuté de manière stupide quand mon mari m'a reproché d'avoir laissé mes souliers devant la porte plutôt que de les ranger immédiatement dans le placard.

— Tu me fatigues, avec tes remarques incessantes, Anatole.

— Tu me fatigues, avec ton désordre incessant, Marceline.

— Si tu étais un peu moins dans le contrôle, peut-être que tu n'aurais pas d'arythmie cardiaque, et que…

J'ai stoppé ma phrase avant que les mots ne dépassent ma pensée. Malheureusement, c'était trop tard.

— Va au bout de ton raisonnement, a-t-il dit.

— Ce n'est pas la peine.

— Tu m'en veux de ne pas pouvoir prendre l'avion à cause de mon arythmie ? Tu m'en veux de ne pas pouvoir aller à Los Angeles voir Corinne et Grégoire, c'est ça ?

J'ai haussé les épaules :

— Non, je sais que ce n'est pas ta faute.

— Si tu avais vraiment voulu y aller, tu aurais pu le faire seule. Tu n'y tenais pas tant que cela.

— Tu es injuste ! J'ai proposé d'y aller sans toi, tu m'as fait un cinéma pas possible pour que je ne te laisse pas seul. Ne sois pas de mauvaise foi, Anatole, ne me pousse pas à te dire des choses que je pourrais regretter.

— Mais vas-y, ma chérie ! Défoule-toi donc ! Tu crois que je ne sais pas ce que tu as sur le cœur ? Tu crois que j'ignore que tu ne m'as jamais vraiment pardonné d'avoir poussé Corinne à quitter la maison à dix-sept ans ? Je sais que tu me penses coupable d'avoir été trop autoritaire. Comment pourrais-je t'en vouloir ? Je pense la même chose.

Je n'ai pas répondu. Il n'avait pas totalement tort, et j'étais trop en colère pour chercher à le réconforter. Nous ne nous sommes pas adressé la parole pendant trois jours.

Je ne m'inquiète pas, ce n'est pas la première fois que nous traversons une période de turbulences, mais j'ai hâte qu'elle soit derrière nous. J'ai hâte de retrouver le plaisir de danser avec mon mari sans chercher à lui écraser les pieds.

Rosalie rit à mes confidences.

— Même pendant les disputes, vous dégoulinez d'amour ! Je vais faire une crise de foie.

— Oh toi, tu es allergique à l'amour ! je réponds en me servant un verre.

Joséphine ne vient plus à nos soirées du samedi depuis quelques semaines. Elle s'est engagée dans une association auprès d'enfants hospitalisés. Elle lit des histoires au chevet de ceux dont les parents ne peuvent le faire. Nous sommes toutes les deux installées dans le canapé de Rosalie, une couverture sur les cuisses, regardant distraitement une émission télévisée.

— Pas du tout ! s'offusque Rosalie. Je n'ai rien contre l'amour, au contraire.

— Ah ? je m'étonne. Et depuis quand n'as-tu pas eu de relation ?

Mon amie hausse les épaules.

— Pas besoin d'être en couple pour aimer, rétorque-t-elle.

J'éclate de rire :

— Non ? Rosalie-cœur-de-pierre serait amoureuse ? Je n'y crois pas !

Elle secoue la tête, amusée.

— C'est qui ? Je le connais ?

Aucune réponse. Je n'insiste pas, si elle n'a pas envie d'en parler, elle doit avoir ses raisons.

La soirée se termine tôt, je suis épuisée et je n'ai qu'une envie : rejoindre mon lit. Rosalie me raccompagne jusqu'à la porte.

— Bonne nuit, lui dis-je en déposant un baiser sur sa joue.

— Bonne nuit, répond-elle en prenant mon visage entre ses mains et pressant ses lèvres sur les miennes.

Chapitre 41

Le maire nous a convoqués. Marius en est persuadé : on a gagné ; il va abdiquer. Tout le pays est derrière nous, il deviendra l'ennemi public numéro 1 s'il persiste. J'y crois aussi, même si je reste prudente. Didier n'a jamais été du genre à céder sous la menace. Je me souviens d'un matin où il jouait avec Abricot dans ma cour. Sa mère criait son prénom, il ne pouvait pas ne pas l'entendre, pourtant il l'ignorait et continuait de raconter ses aventures au chat. J'ai répondu à Marie que son fils était chez moi. Elle est venue le chercher, il était bientôt l'heure de déjeuner, il devait rentrer.

— Attends, je finis ce que je fais et j'arrive, lui a-t-il répondu sans même la regarder.

— Non, Didier, tu viens maintenant.

— Je finis ce que je fais et j'arrive, a-t-il répété.

— Didier, je te préviens : si tu ne te lèves pas immédiatement, tu n'auras plus le droit de venir voir ce chat.

Le petit s'est retourné vers sa mère avec un sourire désarmant et a rétorqué :

— Si tu crois que les menaces vont me faire obéir, tu te mets le doigt dans le nez.

Aujourd'hui, Didier ne mélange plus les expressions, mais il semble toujours aussi inflexible. En prime, il a gagné en chemin un tic de langage auquel je ne m'habituerai jamais.

— Bonjour à tousAN. Asseyez-vous, je vous en priAN.

Nous obtempérons. Marius fait même du zèle en serrant la main du maire.

— Bien. Je vous ai demandé de venir pour vous présenter mes excusANs. J'ai vu votre intervention à la téléAN, je vous ai écoutés, et j'ai compris ce que je n'avais pas voulu comprendrAN. Vous tenez à vos maisons, à la rue, à la placeAN. Je vous demande pardon si je vous ai paru durAN.

Il recule son fauteuil roulant du bureau, le contourne, s'approche de nous et poursuit :

— Bien sûr que l'impasse des Colibris me rappelle de mauvais souvenirANs. J'y ai perdu mes jambes, un ami et pas mal d'illusions. Mais personne n'est responsablAN, je ne cherche pas à me venger. Je cherche juste à être le meilleur maire pour tous les habitants de la communAN.

Le sourire de Marius s'effrite.

— Je suis admiratif de votre détermination, vous vous êtes bien battuANs. Mais la décision est prisAN, je ne reviendrai pas dessus. Je vous laisse une semaine pour reconsidérer notre proposition financièrAN. Si vous persistez à refuser, je serai obligé de faire voter la déclaration d'intérêt public, qui conduira à l'expropriation. Si vous acceptezAN, vous aurez un an pour quitter votre logement. J'espère que vous ferez le bon choixAN.

Aucun de nous ne réagit. Nous y avons tous cru.

— Je suis désoléAN, murmure Didier.

— Moi aussi, je suis désolé, répond Anatole. Je suis désolé pour toi, pour Éric, pour tes parents, pour toi, Gustave. Je suis désolé pour tout ce que l'accident vous a enlevé. Je sais que ma fille n'est pas coupable, mais c'est elle qui était au volant. Il ne s'est pas passé un jour sans que j'y pense.

— Moi aussi, je suis désolé, souffle Marius. Je suis désolé d'avoir jugé Corinne et de vous avoir mis à l'écart, Marceline et Anatole. Mes amis souffraient et j'ai cherché un coupable. J'ai été injuste.

— Bon, moi aussi je suis désolée, finis-je par dire en fixant le mur. J'aurais pu chercher à arranger les choses au lieu de me fermer comme je l'ai fait. Je suis désolée de ne pas avoir toujours été gentille. Je suis désolée si j'ai pu vous blesser.

Sans me quitter des yeux, Rosalie ouvre la bouche pour prendre la parole, puis se ravise.

La voix chevrotante de Gustave prend le relais :

— Moi aussi, je suis désolé. Je suis désolé que nous ayons eu à vivre toutes ces épreuves. Et je suis désolé de ne pas pouvoir finir ma vie auprès de vous.

1998

Chaque samedi soir, Anatole et moi allons danser au bal musette. Nous y avons rencontré des personnes avec lesquelles nous avons créé des liens. Peu à peu, nous avons commencé à les fréquenter les autres jours. Ainsi, mon mari part souvent à la pêche avec Paul et Fernand, tandis que je joue au bridge avec Anita et Myriam. Souvent, elles me proposent d'autres activités, je les décline. Je ne veux pas de nouvelles amies.

Rosalie ne m'adresse plus la parole. Je la comprends.

J'ai été troublée par son baiser. Je n'ai cessé d'y penser les jours suivants, parfois j'y prenais du plaisir. Je chassais ces images, mais elles revenaient.

J'ai évité mon amie jusqu'au jour où je l'ai retrouvée dans mon jardin. Anatole était dans la salle de bains. Elle n'a rien dit, elle m'a juste embrassée. Je me suis laissé faire. C'était doux, c'était tendre et rassurant, tout ce qui me manquait.

Cela a duré plusieurs semaines. J'étais partagée entre le plaisir et une culpabilité que mes relations houleuses avec Anatole faisaient taire. Avec Rosalie, c'était simple, c'était nouveau, c'était terriblement excitant. Nous ne partagions que les bons moments, les mauvais se trouvaient dans la maison voisine. Pour la première fois de ma vie, je ne faisais aucun projet, je me laissais porter sans penser aux conséquences. Elles se sont rappelées à moi.

C'était l'hiver, il était encore tôt, mais la nuit venait de tomber. Je devais me hâter de rentrer pour préparer le dîner. Rosalie m'a raccompagnée à la porte et a déposé un baiser sur mes lèvres. La lumière était allumée. Je n'oublierai jamais le regard d'Anatole, figé alors qu'il fermait les volets de la chambre.

Il n'a rien dit. Il s'est comporté exactement comme si rien ne s'était passé.

J'ai cessé ma relation avec Rosalie dès le lendemain. Ce n'est pas la honte ou la culpabilité qui m'ont ouvert les yeux. C'est la peur de perdre l'homme que j'aimais.

Chapitre 42

On regarde les choses différemment quand on sait qu'on ne les verra bientôt plus. La place me semble belle, ce matin. Pourtant, le temps ne l'a pas épargnée. Les tempêtes successives ont dégarni ses sapins, seuls quelques vaillants pruniers font de la résistance, l'herbe s'est couchée sous les voitures garées là chaque nuit. Elle n'a plus rien de sa splendeur d'antan, et cela me la rend encore plus précieuse. Nous ne sommes plus qu'une poignée à savoir ses explosions de fleurs roses, son tapis de pâquerettes, ses géants verts bercés par le vent. Nous sommes les gardiens privilégiés d'une beauté inaccessible au premier regard.

Je me baisse pour ne pas me cogner à la branche du sapin. Les autres sont déjà au QG. Quiconque nous apercevrait aurait l'image d'un groupe de vieux, celle-ci avec sa robe jaune et ses cheveux assortis, qui a étiré sa peau pour l'empêcher de plisser, celui-là avec sa perruque mal mise, qui semble prêt à s'écrouler sur son déambulateur, et l'autre, là, dans son fauteuil roulant, qui a l'air de dormir, et la petite maigrelette qui ne lâche pas son téléphone, et puis celui avec le gros ventre et la canne, qui ressemble à un Q.

Ce que je vois, c'est une magnifique blonde, avec la coiffure de Marilyn et un sourire carmin, qui rit fort et veut conquérir l'Amérique. C'est un grand brun à la carrure sportive, qui préfère croire que la vie est une histoire drôle. C'est l'amour de ma vie, son sourire en coin, sa mâchoire carrée et sa bonté. C'est une femme avec des yeux d'enfant, qui s'extasie d'un rien et préfère vivre dans ses rêves. C'est un homme élégant, qui crie dans son saxophone et aimera Blanche pour toujours. Ce que je vois, ce n'est pas un groupe de vieux. Ce sont des personnes avec des projets, même s'ils sont derrière eux. Ce sont ceux qui ont vécu plus de soixante ans à quelques mètres de moi. Ce sont des gens qui ont fait une longue promenade, qui ont cueilli le meilleur, qui se sont entravés dans le pire, et qui voient au loin le bout du chemin.

C'est la dernière réunion des Octogéniaux. Demain, nous redeviendrons Rosalie, Gustave, Anatole, Joséphine, Marius et Marceline. Les derniers habitants de l'impasse des Colibris.

À l'unanimité, nous avons décidé d'abandonner le combat. La fin était écrite avant la première ligne. Nous ne sommes pas déçus, au contraire. On n'a pas tout perdu.

— Je me suis bien amusé, affirme Gustave. Il y avait bien longtemps que je n'avais pas autant ri.

— C'est vrai qu'on s'est marrés, répond Rosalie. J'ai l'impression d'avoir perdu dix ans !

— Tes impressions sont gentilles avec toi, je ricane.

— Toi, pas tellement, rétorque-t-elle, mais j'ai quand même été heureuse de vous retrouver tous.

— Marceline aussi était heureuse de vous retrouver, pas vrai, ma chérie ? intervient mon cher époux.

Tous les regards sont braqués sur moi. Le sarcasme me chatouille les lèvres.

— C'est vrai, finis-je par admettre. J'aurais pu mettre ma tête sur le billot en jurant le contraire, mais ce n'était pas si mal de passer du temps avec vous.

Gustave applaudit l'effort, tout le monde l'imite.

Je les déteste.

Ils vont me manquer.

2000

Corinne a téléphoné. Il était tôt, j'ai cru que c'était un vendeur de vérandas, j'ai décroché. Je les aime beaucoup, ils égayent mon quotidien, particulièrement le moment où je leur raccroche au nez. Quand j'ai reconnu la voix de ma fille, je me suis figée. Elle parlait comme si on s'était vus la veille, comme s'il ne s'était pas passé cinq ans depuis notre dernier contact.

Depuis sa lettre, nous avons respecté son choix. Nous l'avons laissée cicatriser loin de nous, et nous avons cicatrisé sans elle. Cinq ans. Près de deux mille jours à se demander si elle allait bien.

Je ne lui en veux pas. J'ai compris sa douleur et son besoin de la surmonter comme elle le pouvait. Mais, moi aussi, je l'ai surmontée comme je le pouvais. Les hérissons sortent leurs piquants pour se protéger. Les miens sont toujours dehors. S'ouvrir, c'est prendre le risque d'être blessé.

— Grégoire est en France, m'a-t-elle annoncé après m'avoir parlé de James et du restaurant, qui vont bien tous les deux.

— Ah.

— Il a tenu à revenir pour faire des études de journalisme. Il s'est installé à Paris, il a prévu de passer vous voir dès qu'il aura un moment.

— D'accord.

— Ça te fait plaisir ?

— Je te passe papa. Bonne journée.

J'ai tendu le téléphone à Anatole et je suis allée faire la vaisselle. Il me rejoint quelques minutes plus tard.

— Tu as été dure, ma chérie.

J'astique un verre avec énergie, le même depuis le début.

— Marceline, reprend-il, je sais que la réaction de Corinne t'a fait souffrir, j'ai été malheureux aussi, mais ne reste pas braquée, par pitié. On a déjà laissé passer cinq ans. Cinq ans, tu te rends compte ? J'avais perdu espoir, je pensais qu'elle ne reviendrait jamais vers nous. Elle avait juste besoin de temps. N'en gâchons pas davantage.

J'essuie le verre, le range dans le placard et me tourne vers mon mari :

— Mon chéri, je ne t'empêche pas de renouer avec ta fille si tu le souhaites. Ne m'oblige pas à faire de même. Ne crois pas que je ne le veuille pas, mais j'en suis incapable. Mon cœur est devenu sec, tu

comprends ? Quand on n'aime personne, personne ne peut nous faire souffrir.

Je reprends le verre dans le placard, fais couler l'eau et me remets à astiquer.

Chapitre 43

Grégoire est malade. J'ai commencé à m'inquiéter vers dix heures du matin, en ne le voyant pas descendre. Habituellement, il est debout depuis longtemps. J'ai frappé à sa porte, il a gémi.

— Je sais pas ce que j'ai, mamie, j'ai mal au ventre.

Je lui ai préparé le petit-déjeuner. Il est descendu avant que j'aie le temps de le lui apporter. Il était plié en deux, on aurait dit une équerre.

Il n'a rien pu avaler. Il s'est allongé sur le canapé, j'ai déposé une couverture sur lui, ses pieds dépassaient de l'accoudoir, alors qu'à une époque son corps entier y tenait.

— Je vais appeler le docteur, dis-je en m'asseyant sur le fauteuil.

— Pas la peine, mamie, ça va passer. Dis, tu veux bien me raconter la légende du roi Midas, comme quand j'étais petit ?

Mon petit-fils de trente-six ans a des envies étranges, mais je ne me fais pas prier. Je m'assieds au bout du canapé, il pose doucement sa tête sur mes cuisses, et je commence à lui conter cette histoire qu'enfant il me réclamait tous les jours.

— Il était une fois un roi gentil, mais aussi cupide que stupide. Un jour, pour le remercier de son hospitalité, le dieu Dionysos lui propose de réaliser un vœu. Le roi hésite à peine et demande à pouvoir transformer tout ce qu'il touche en or. Au début, il est heureux, il touche tout ce qu'il croise : les vases, les meubles, les arbres se transforment en métal précieux. Il est riche ! Mais, au moment de manger, cela se complique. Le poulet qu'il porte à sa bouche devient dur et doré, ainsi que la grappe de raisin qu'il a très envie d'avaler. Quand il veut boire, même constat : l'eau se fige, impossible de s'abreuver. Rapidement, le roi Midas se rend compte que l'or n'est pas essentiel à sa vie, il demande alors à Dionysos d'annuler son vœu et retrouve une vie simple, mais heureuse.

Grégoire sourit. Je me rends compte que je lui caresse les cheveux.

— J'adore cette histoire, murmure-t-il. Elle me rappelle les bons moments passés ici.

J'ai envie de lui dire que, à moi aussi, elle rappelle de doux moments. Je n'en ai pas le temps.

— Je vais devoir partir, mamie. J'ai plus aucune raison de rester, le feuilleton des Octogéniaux est terminé, mon rédac'chef a besoin de moi sur d'autres dossiers. Et puis, ma petite famille en a assez que je m'absente deux jours par semaine depuis tout ce temps.

— D'accord.

— Tu dois être contente, tu vas pouvoir ranger ta bombe lacrymo ! s'esclaffe-t-il.

— Je la garde quand même, au cas où il te prendrait l'envie de revenir.

Il se redresse en gémissant et me fixe du regard :

— Je suis vraiment content qu'on se soit retrouvés, mamie.

— Allons bon, tu dois avoir de la fièvre ! je réponds en posant ma main sur son front.

— Arrête, mamie, je suis sérieux ! Je sais que j'ai merdé quand on est partis avec maman, j'aurais dû garder le contact, mais j'étais un gamin.

— Je sais, Grégoire. Je ne t'en ai jamais voulu pour cette période.

Il fronce les sourcils :

— Ah bon ?

— Non. Je sais que les adolescents ont autre chose à faire qu'appeler leurs grands-parents. Tu me manquais, mais cela prouvait que tu allais bien, alors je me faisais une raison.

— Mais, alors, pourquoi tu as été comme ça avec moi ?

— Comment, comme ça ?

— Dure. Distante. Cynique. C'est à cause de Paris ?

Je hausse les épaules et me lève :

— C'est du passé, mon grand. Une histoire aussi vieille que celle du roi Midas.

2001

Les championnats de France de danse de salon seniors ont lieu à Paris. Nous remettons notre médaille d'or en jeu. Plus de mille personnes sont dans le public, mais ce nombre ne m'angoisse pas. Ce qui me fait trembler, c'est la présence de mon petit-fils Grégoire, que je cherche dans la foule.

Lorsque je l'ai appelé sur son téléphone itinérant la semaine dernière pour l'inviter à venir nous voir danser, il était occupé, mais il m'a assuré qu'il serait là. Depuis, je compte les heures.

Je ne l'ai pas vu depuis six ans. Corinne nous a envoyé des photos après son appel de l'année dernière. Anatole les a laissées traîner sur la table du séjour. J'y ai jeté un coup d'œil discret avant de les replacer à l'identique. Depuis son installation à Paris, nous avons attendu qu'il nous rende visite, comme notre fille l'avait annoncé. Il n'en a sans doute pas eu le temps, mais notre venue dans la capitale était une occasion rêvée. Dans le public, je cherche un grand jeune homme brun de presque vingt ans.

— Tu le vois ? s'enquiert Anatole.

— Il n'a pas dû arriver, je réponds en laissant tomber le rideau.

— Tu es magnifique dans cette robe.

— Plus qu'avec mon tablier à carreaux ?

— Tu es encore plus belle avec ton tablier.

Nous dansons avec la passion des dernières fois. C'est notre ultime championnat. Nous n'arrêterons pas de danser tant que notre corps nous portera, mais la compétition commence à nous user. Anatole approche des soixante-sept ans et je le suis de près.

Nous finissons sur la troisième place du podium, comme lors de notre premier concours. Nous recevons notre médaille sous les applaudissements et les larmes de notre coach, Romy. Anatole m'embrasse sur la bouche devant plus de mille personnes. Je ne le frappe pas.

Tout au long de la soirée qui suit, nous récoltons les compliments des spectateurs. Je remercie distraitement en cherchant du regard notre petit-fils. Nous sommes les derniers à quitter la salle, sans l'avoir trouvé.

Dans le taxi qui nous ramène à l'hôtel, Anatole me promet que nous ne quitterons pas Paris sans avoir vu Grégoire.

Le lendemain, il est midi lorsque nous sonnons chez lui. Anatole a repoussé nos billets retour au lendemain et trouvé l'adresse de notre petit-fils dans l'annuaire. Son nom est inscrit à côté de la petite sonnette. Je n'ai pas encore appuyé que la porte s'ouvre, découvrant un grand brun mal rasé, un casque sur la tête.

— Bonjour Grégoire ! je m'exclame en essayant de maîtriser mon sourire.

— Mamie ? Mais qu'est-ce que vous faites là ?

Il n'est pas agressif. Surpris, tout au plus. Il nous embrasse sans ôter son casque :

— On a gagné la médaille de bronze, annonce fièrement Anatole.

— Ah merde ! J'ai complètement zappé votre truc, je suis désolé ! C'est les exams en ce moment, j'ai la tête pleine... Là, je vais chez un pote pour réviser, si j'avais su que vous veniez, j'aurais prévu un petit moment.

J'avale la boule douloureuse qui s'est formée dans ma gorge :

— Tu as le temps de déjeuner ?

Il secoue la tête, gêné.

— Je suis désolé, mamie. Fallait m'appeler avant de venir, là je peux pas planter mon pote, il m'attend.

— J'ai oublié ton numéro à la maison, explique Anatole. J'ai essayé d'appeler sur le fixe, ça ne répondait pas.

— Ouais, je l'ai débranché, je m'en sers jamais... Bon, faut que je file. C'était cool de vous voir, promis, je passe chez vous dès que j'ai un moment !

Il nous embrasse à nouveau, enfourche un scooter, le démarre et disparaît dans le bruit assourdissant de son pot d'échappement et de mes nouveaux piquants qui poussent.

Chapitre 44

Nous voulions une fin digne de ce nom. Hors de question de s'effacer discrètement, les Octogéniaux méritaient un dénouement en fanfare. Sur la page Facebook, nous avons annoncé notre envie d'organiser une petite fête sur la place. Je n'y ai jamais vu autant de monde.

Un orchestre local s'est proposé pour animer la soirée gratuitement, ils ont installé estrade et piste de danse, un maquilleur dessine sur le visage des enfants, des forains ont installé quelques stands de jeux, tir à la carabine, pêche aux canards, jeu de massacre, un camion de restauration nourrit ceux qui ont faim, mais ce n'est pas pour cela que les gens se sont déplacés. Ils sont venus pour nous. Pour nous féliciter, pour nous soutenir, pour nous faire part de leur tristesse.

Parmi eux, des têtes connues : des commerçants de la commune, des voisins, des visages que l'on salue à force de les croiser, des enfants qui jouaient avec les nôtres et que l'on tutoie encore, il y a des membres du conseil municipal, la factrice, Brahim et Tristan, qui nous ont aidés pour le rap, avec leurs copains, il y a les jumelles de Marius, ainsi que Blanche, sa première femme, il y a Grégoire qui prend des notes pour son dernier papier, et il y a Corinne.

Elle sourit, discute avec tous ceux qu'elle n'a pas vus depuis si longtemps, le passé percute le présent, l'un se rappelle la petite Corinne qui faisait cent fois le tour de la place sur son vélo orange, l'autre se souvient de la Corinne adolescente, qui se cachait derrière les sapins pour échapper à la surveillance de son père. La place est une boîte à souvenirs qui va bientôt se refermer.

Dans le micro, la voix de la chanteuse a changé. Je me retourne, Rosalie est sur scène, un boa en plumes autour du cou. Les premières notes sont hésitantes, les mots tremblent, le souffle est court, et puis elle ferme les yeux, et les paroles s'envolent, la voix se pose sur la musique, des personnes dansent, Rosalie n'est plus sur la petite estrade éphémère de la place de Trodilan, elle est loin là-bas, dans sa plus belle vie.

— Je voudrais rentrer, s'il te plaît, me glisse Anatole.

Depuis peu, sa main gauche ne fonctionne plus assez pour manœuvrer le fauteuil. Corinne, qui n'avait aucune idée de l'état de son père avant notre appel, ne cesse d'insister pour que nous nous installions chez elle. Nous y réfléchissons, ainsi qu'à une autre option.

Je raccompagne mon mari à la maison et je l'aide à se coucher. Il me demande de laisser la fenêtre de la chambre ouverte, afin que lui parviennent les bruits de la fête. Rosalie est toujours au micro.

— Tu y retournes, m'ordonne-t-il tandis que je le borde.

— Je préfère rester ici, je serai dans le séjour si tu as besoin.

— Fais-moi plaisir, va les rejoindre. Je vais dormir, je n'aurai pas besoin de toi.

Je soupire :

— Je m'inquiète, mon chéri. Tu deviens trop gentil. Je pense que la maladie commence à attaquer le cerveau.

— Ne te fais pas trop de mouron, si j'apprends que tu as fricoté avec un petit jeune, il se retrouvera avec la même dentition que moi.

— Alors je suis rassurée !

Je ferme doucement la porte de la chambre et claque fort celle de la maison. Sur la pointe des pieds, je me dirige dans la pénombre vers le canapé.

— Marceline, je t'entends ! crie mon mari aux oreilles surpuissantes.

Expulsée de mon propre foyer, je suis forcée de retourner à la fête au moment où un air de charleston démarre. À deux heures du matin, Rosalie, Joséphine et moi sommes les dernières sur la piste, après avoir épuisé toutes les petites jeunettes des alentours.

2005

Nous n'avons pas dansé depuis un an. Mon arthrose me fait souffrir et Anatole n'a pas totalement récupéré depuis son opération de la hanche. Lorsque nous avons reçu l'invitation du Gala solidaire, nous avons d'abord décidé de décliner. Mais la cause est belle et l'envie forte de danser une dernière fois ensemble. De plus, la soirée tombait le soir de nos cinquante ans de mariage. Comment ne pas y voir un signe ?

En coulisses, l'anxiété monte. Tous nos spectacles ont eu lieu devant un public passionné de danse. Ce soir, le gala regroupe des chanteurs, des humoristes, des magiciens et des danseurs de tous univers. Qui a envie de voir un couple de septuagénaires tenter de réaliser une chorégraphie ?

L'organisatrice nous fait signe.

— Dès que le magicien sort de scène, vous entrez. La musique se lancera quand vous serez en place.

La scène est éclairée, le reste de la salle plongé dans le noir. On pourrait se croire seuls. Anatole se glisse contre moi, les notes se mettent à danser, nous aussi. Dans ces quelques pas, c'est notre existence qui se dessine. On danse notre amour, on danse notre peur, on danse nos joies, on danse nos douleurs, on danse notre vie, on danse notre mort, une danse comme un cri, une danse comme un adieu. Une danse comme un merci.

La musique se tait. Je suis dans les bras de mon mari, en larmes. J'attends les tomates, on reçoit des applaudissements nourris. Nous saluons, saluons, saluons, jusqu'à ce qu'une humoriste vienne prendre notre place sur scène.

C'était bien.

— Je suis heureux d'avoir été ton partenaire pendant toutes ces années, me glisse Anatole dans les coulisses.

— Mon partenaire de danse, tu veux dire ?

— Bien sûr, quelle question ! Être ton partenaire de vie est un supplice.

— J'espère bien ! Je me donne du mal.

— Tu réussis à la perfection, ma chérie. Je suis l'homme le plus malheureux de la planète.

— Bien. Je suis ravie de l'entendre.

Il me serre tendrement dans ses bras.

— J'ai un cadeau pour toi, je lui chuchote à l'oreille.

— Moi aussi !

Nous avions prévu de rester pour le cocktail, mais nous nous changeons et regagnons la voiture. Il fait nuit et il pleut, Anatole est concentré sur la route. Dans mon esprit, je rejoue nos danses. La toute *première, maladroite, quand Anatole m'a fait une surprise. Nos entraînements, à la salle, dans le séjour, dans le jardin. Notre premier championnat. Notre médaille d'or. Notre dernier tango.*

Tous ces moments encore plus précieux une fois transformés en souvenirs.

Finalement, la vie est comme une danse. On entre en scène, on apprend les pas, on se laisse porter, on compte les temps, et on tire sa révérence.

J'ai eu le meilleur partenaire. Lorsque nous avons entamé cette longue danse, il était raide, voire rigide, j'étais gauche, timorée, nous tentions d'accorder nos pas sur une mélodie que nous ne connaissions pas, il lui est arrivé de m'écraser les pieds, j'ai pu lui donner le tournis, il y a eu des faux pas, mais nous avons maintenu le cadre, nous sommes restés unis, on s'est observés, on s'est assouplis, jusqu'à ne faire plus qu'un, jusqu'à se fondre en l'autre, jusqu'à s'emmêler, un duo parfois bancal, qui laisse passer le vent, qui laisse entrer la pluie, mais qui résiste à toutes les intempéries.

Rosalie promène son chien sur la place lorsque nous nous garons. Anatole la salue de loin, je marche vers le portail en l'ignorant. C'est le moment que choisit Marius pour fermer ses volets. Je m'engouffre dans le jardin sans un regard.

Anatole me rejoint dans le séjour :

— Toi d'abord !

Je ne me fais pas prier, je ne tiens plus. J'attrape un paquet dans le placard et le lui tends. Cette année, pour les cadeaux, nous nous sommes fixé une règle : pas d'objet, pas d'achat, mais quelque chose d'unique, qui vient du cœur.

— Joyeux anniversaire de mariage, mon amour.

Il déchire le paquet sans attendre et découvre un bocal empli de petits papiers.

— Qu'est-ce que c'est ? demande-t-il.

J'ouvre le bocal :

— Prends un papier et lis ce qui est noté dessus.

Il obéit :

— J'aime apercevoir des larmes dans tes yeux quand on regarde un film émouvant.

Il pioche un nouveau papier et réitère :

— J'aime la douceur de tes joues quand tu viens de te raser.

Il me lance un regard ému. Je referme le bocal :

— Sur chacun de ces papiers, j'ai noté une chose que j'aimais chez toi. Il y en a cinquante, comme les années passées ensemble.

— C'est magnifique, ma chérie. Je suis très touché.

Il me serre dans ses bras.

— Si je devais faire la même chose, il me faudrait au moins trois bocaux, murmure-t-il.

Je ne peux m'empêcher de rire. Il lève les yeux au ciel :

— Je suis sûr que, sur un papier, il est noté « J'aime ta mièvrerie ».

— Non, celui-là, je l'ai mis dans l'un des trois bocaux « Ce que je n'aime pas chez toi ». On y trouve

aussi « Je n'aime pas quand tu me fais attendre avant de m'offrir un cadeau ».

Anatole écarte les bras en souriant :

— Défais le paquet !

— Quel paquet ?

— Je suis le paquet, répond-il fièrement.

Je ne comprends pas grand-chose, mais j'obéis. J'ôte lentement sa veste de costume, je déboutonne sa chemise, un bouton après l'autre, il me dévisage, je sens son souffle sur mon front, je fais glisser le tissu le long de ses bras, je caresse sa peau, palpe ses poches, remonte vers son tricot de peau, il sourit, chuchote que je chauffe, le cadeau n'est plus loin, je soulève le débardeur, et je le vois, là, sur son cœur.

— Mais tu es fou ! je m'écrie.

— Un peu, je te l'accorde.

Je chausse mes lunettes et j'observe mon cadeau de plus près. Sur sa peau, à l'encre noir et rouge, nous dansons un tango. Anatole scrute ma réaction.

— Où as-tu fait ce tatouage ? finis-je par demander.

— La petite boutique près de la mairie. Ça te plaît ?

Je lève le menton et adresse un grand sourire à mon mari :

— Je veux le même.

Chapitre 45

Nous y sommes. Personne ne le nomme, mais nous savons que c'est notre tout dernier dîner ensemble.

Joséphine a dressé une table de fête dans son salon. C'est le premier meuble qu'elle et Gaston ont acheté, une longue table en bois pour y réunir tous leurs enfants.

Depuis la fête sur la place, plusieurs semaines se sont écoulées. Notre quotidien a repris, pas tout à fait comme avant. Désormais, quand je me rends au marché, il arrive que Joséphine m'accompagne. Marius et Gustave viennent jouer aux dames chinoises avec Anatole. Grégoire et Corinne appellent au moins une fois par semaine. Il ne reste guère plus que le lien avec Rosalie qui soit encore distendu.

Nous avons tous accepté la proposition financière de la mairie. Dans sept mois, les travaux de construction du nouveau centre scolaire débuteront. Nous ne serons plus là pour voir nos maisons et la place disparaître.

— Je vais vivre chez ma fille Catherine, annonce Marius. Elle me le propose depuis longtemps, mais je ne voulais pas être une charge pour elle et son mari. Ils ont aménagé un studio indépendant au sous-sol de leur maison, avec une grande chambre. J'y serai bien.

— Tu pars quand ? s'enquiert Gustave.

— Lundi prochain.

Chacun le félicite pour sa décision, même si de longs silences ponctuent la conversation.

— Je pars aussi, souffle Joséphine.

Avec un sourire de petite fille, elle nous apprend qu'elle va s'installer chez son « amoureux », comme elle l'appelle. Elle nous l'a présenté récemment. Jean-Claude semble optimiste, bienveillant, et fou de Joséphine. Il pose sur elle le regard qu'elle pose sur les jolis paysages.

— Jean-Claude m'a présenté son fils, dit-elle. Il a mis du temps à accepter que son père sorte avec une femme plus âgée, alors il a décidé que nous ne sortirions plus ensemble. Il m'a demandée en mariage !

Les félicitations fusent. Joséphine enlace chacun de nous longuement, puis part dans la cuisine chercher le plat suivant. Au passage, discrètement, elle adresse un baiser au portrait de Gaston posé sur le buffet.

Gustave attend le dessert pour nous faire part de ses projets. Il fait bien, il nous aurait coupé l'appétit.

— J'ai trouvé une place dans une maison de retraite à Biarritz. J'y ai passé deux jours, le personnel a l'air gentil et les résidents heureux. Ils font beaucoup d'activités, j'ai aimé l'ambiance. En plus, le bâtiment se trouve dans un grand parc qui surplombe l'océan, on a une vue exceptionnelle depuis les chambres.

— C'est une bonne chose, approuve Marius. Tu y seras bien.

— Oui, ajoute Joséphine sans conviction. Une bonne chose.

J'essaie de me contenir. En vain :

— J'imagine que c'est une idée de votre fille ?

— Disons qu'elle l'a fortement suggéré, admet Gustave.

— Quelle petite pétasse ! s'exclame Rosalie.

Gustave secoue la tête :

— Françoise n'est pas mauvaise. Elle n'a pas cicatrisé, c'est tout. J'ai pris ma décision et j'en suis content. J'ai visité plusieurs maisons de retraite, et je sais que je serai tranquille aux Tamaris. Je n'aspire plus qu'à cela : la tranquillité. On a eu notre lot de secousses.

Joséphine approuve :

— Ce serait bien si on pouvait remonter le temps. On n'aurait peut-être pas pu éviter les épreuves, mais on les aurait surmontées différemment. On a perdu beaucoup de temps, à s'en vouloir les uns les autres.

Je repense à toutes ces années à ruminer ma colère contre mes voisins, contre ma fille, contre mon petit-fils. Tout ce temps disparu, qu'on ne pourra jamais rattraper. Moi aussi, j'aimerais pouvoir le remonter.

J'essaie de ne pas regretter. Ce serait ajouter du chagrin au chagrin. On ne naît pas avec les armes pour affronter la vie, on les affûte au fur et à mesure, on apprend leur fonctionnement sur le tas. On se trompe, parfois. On se protège, souvent. Il est plus facile de viser autrui que soi-même. Il est plus facile d'être en colère que triste.

— Ce n'est pas du temps perdu, dis-je. Sans ces années, nous ne serions sans doute pas devenus ceux que nous sommes. Vous êtes de belles personnes. Je suis heureuse d'avoir partagé ma vie avec vous.

Anatole me regarde bizarrement. Il faut que je le rassure :

— C'est plus agréable d'accoucher que de vous faire des compliments.

— Toi aussi, tu es une belle personne, me répond Joséphine.

— Quand elle dort, peut-être, ajoute Rosalie. Bon, maintenant qu'on a fini les déclarations écœurantes, je dois vous annoncer que je m'en vais aussi. J'ai trouvé un appartement dans une résidence pour seniors à New York.

— Mais tu as un visa ? je m'écrie sans m'en rendre compte.

— J'ai la *Green Card*, chérie. Dois-je te rappeler que j'ai été une star aux *States* ?

Tout le monde s'enthousiasme : Rosalie va finir sa vie où elle l'a passée en rêve. Je me joins à eux, en espérant paraître crédible.

— Et vous ? nous demande Gustave. Qu'allez-vous faire ?

— Qu'allons-nous faire de quoi ? je demande sans comprendre.

— On y réfléchit encore, répond Anatole, qui a perçu la fuite de mon esprit. On part deux semaines en Bretagne avec Corinne et Grégoire, on prendra notre décision là-bas.

La soirée s'étire, on convoque des souvenirs, on se rappelle le bon vieux temps, on évoque ceux qui ne sont plus là, on repousse le moment de se dire au revoir. Toutes les maisons se videront pendant notre séjour à Morgat. L'impasse des Colibris s'éteindra avec nous.

J'observe la scène en me demandant combien de temps il me faudra pour l'oublier. Je me suis rendu compte que les souvenirs récents sont plus volatils que les anciens. J'essaie de graver dans ma mémoire le visage de Gustave quand il trouve un bon mot, le regard de Joséphine qui n'a jamais vieilli, l'air constamment révolté de Marius, la mine faussement détachée de Rosalie. J'essaie d'enregistrer leur voix, leurs rires, de capturer un petit bout d'eux pour les emporter avec moi.

Nous nous disons au revoir comme si nous allions nous croiser demain, à l'arrière du camion du volailler. La seule différence, ce sont nos joues mouillées sous les baisers, et ce merci qui m'échappe en refermant la porte.

Chapitre 46

Anatole s'est endormi tout de suite. Je n'y arrivais pas. L'horloge indiquait trois heures du matin. Après le dîner chez Joséphine, les souvenirs s'entrechoquaient dans mon esprit. Il fallait que je me rende là où beaucoup sont nés.

La nuit est calme. Seuls de lointains miaulements percent le silence. Lentement, lampe de poche à la main, je fais le tour de la place, semant les petits cailloux de ma mémoire.

L'histoire se rembobine, nos vies défilent sur ce bout de terre, les Octogéniaux, les apéritifs, les danses, les parties de cache-cache, les premiers pas des enfants, les parties de ballon, les tricots, les tours de vélo, la mort de Gaston, les longues discussions avec Rosalie, la construction de la table.

La construction de la table. Comment font les réminiscences pour paraître aussi proches ? Je sens encore le bois sous mes mains, j'entends Rosalie me donner ses instructions, j'oscille entre anxiété et sentiment de liberté folle, d'oser réaliser ce qui était habituellement réservé aux hommes. La table n'a pas résisté aux années, elle a été plusieurs fois changée, mais elle est restée pour moi comme un déclic, les prémices d'une mutation. Et la rencontre avec ma plus grande amie.

Je me glisse sous les sapins. La dernière table installée est là. Rosalie aussi. Elle ne me voit pas immédiatement. Ses lunettes sont posées devant elle, elle essuie ses yeux.

— Ah, il ne manquait plus que toi ! grince-t-elle en s'apercevant de ma présence.

Je m'assieds sur le banc, face à elle. À la lueur de la lampe, de longues secondes durant, nous nous observons en silence.

— Je te demande pardon, Rosalie, je murmure.

— Tu m'as brisé le cœur.

— Je ne le voulais pas. Je suis désolée.

— Je t'aimais sincèrement, souffle-t-elle.

— Moi aussi. Mais j'aimais Anatole plus encore.

Elle hoche la tête.

— Tu as disparu du jour au lendemain, Marceline. Tu remplissais ma vie, elle est devenue vide en une seconde.

— Je suis désolée. Je n'ai pas su dominer mes sentiments et j'ai eu peur de perdre mon mari. Je n'ai pensé qu'à moi.

— Tu aurais dû m'expliquer. Tu m'as abandonnée.

— Je sais. Je te présente mes excuses. Tu ne méritais pas cela.

Rosalie allume une cigarette.

— Je n'ai jamais réussi à te détester, dit-elle.

— C'était bien imité.

Elle rit.

— Tu t'en es pas trop mal tirée non plus.

— Merci pour le compliment, je réplique dans un sourire.

Marius ne dort pas non plus. À travers les branchages nous parvient la plainte mélodieuse de son saxophone.

— Il ne faut pas être triste, déclare Rosalie, comme pour elle-même.

— Je ne suis pas triste. Tu te souviens de tes paroles, juste avant ton départ pour Broadway ? « Il ne faut pas pleurer ce qui ne sera plus, mais chérir ce qui a été. » Je chéris notre amitié, Rosalie. Beaucoup de gens traversent la vie sans rencontrer une personne comme toi. Tu m'as montré une autre voie, tu m'as aidée à m'envoler, tu ne m'as jamais jugée. Tu as été ma vraie grande amie.

— Oh pitié, darling ! Tu vas faire craquer mes coutures.

Je me lève, fais le tour de la table et étreins longuement Rosalie. Elle se laisse faire, puis serre ses bras autour de moi. Je ne sais pas combien de temps nous restons ainsi, l'une contre l'autre, à l'endroit où nous nous sommes rencontrées. Deux minutes, peut-être dix. C'est elle qui se dégage, tout doucement. Je dépose un dernier baiser sur sa joue, puis me dirige vers la sortie du QG.

— Bonne nuit, Rosalie.

— Bonne nuit, Marceline. Vous partez quand en Bretagne ?

— Demain matin.

Elle ne répond pas. Je me glisse sous les branches et regagne ma maison d'un pas lourd.

Adieu, ma vraie grande amie.

Chapitre 47

Il n'y a rien à faire. Je ne trouverai pas le sommeil cette nuit. Je tourne et vire dans le lit en essayant vainement de repousser les pensées qui m'assaillent. Une personne, particulièrement, ne veut pas quitter mon esprit. Elle a vingt ans, elle porte un ensemble bleu et des chaussures noires, elle marche aux côtés de son jeune mari. La Marceline de vingt ans ne veut pas me laisser dormir.

Je me lève doucement, Anatole a le sommeil agité. Dans la chambre bleue, j'ouvre le secrétaire et mon cahier de notes, je saisis un stylo et je commence à écrire à celle que j'étais en 1955.

Chère Marceline de vingt ans,

Tu viens de descendre du bus qui te mène vers ton avenir. À tes côtés, Anatole, que tu connais à peine, porte les deux valises qui renferment votre vie. Tu aimerais pouvoir faire un tour dans le futur pour cesser de t'inquiéter. Tu le caches bien, personne ne sait à quel point tu es anxieuse, mais je n'ai pas oublié.

Tu vas être heureuse, Marceline. Tu vas avoir une belle vie, faite de petits bonheurs simples et de quelques malheurs que tu accepteras de surmonter.

Tu ne t'es jamais sentie aimée. Ton père était violent, ta mère passive, tu as grandi sans amour, croyant que c'était ta destinée. Ce n'est pas ta destinée. Tu vas être aimée, profondément, entièrement. Tu ne seras plus jamais seule. Tu n'auras qu'à tendre l'oreille pour entendre le cœur de celui qui ne lâchera jamais ta main. Tu vas l'aimer de la même manière. Pour ce qu'il est, pour ce que vous êtes ensemble. À l'instant où je t'écris, j'ai quatre-vingt-trois ans, et il ne s'est pas passé une journée sans que je mesure ma chance d'avoir rencontré Anatole. Oh, bien sûr, nous ne sommes pas dans un conte de fées. Il t'arrivera de tout remettre en question, de penser que c'est mieux ailleurs, même d'élaborer des scénarios pour faire disparaître le corps de ton époux, mais tu finiras par te demander comment tu as pu envisager de vivre sans lui.

Tu auras une petite fille qui te comblera de joie, tu passeras des heures à regarder son petit ventre se soulever quand elle dort, à lui tricoter pulls et robes (parfois laids), à écouter sa voix aiguë te dire que tu es la meilleure des mamans, et tu y croiras. Gave-toi d'elle, les pessimistes qui ne cessent de te répéter que ça passe vite ont raison. Néanmoins, ne te roule pas dans la nostalgie : son départ du nid ne sonnera pas la fin de ton existence.

Je ne veux pas tout dévoiler, les surprises sont le sel de la vie, mais, tout au long du chemin, tu rencontreras des personnes merveilleuses, tu t'en rendras parfois compte plus tard, mais elles seront là, autour de toi.

Évidemment, tu connaîtras des épreuves, dont tu penseras ne jamais pouvoir te relever. Il te faudra parfois du temps pour sortir du gouffre, mais tu y parviendras. Tu es forte, Marceline, bien plus que tu ne le crois. Je ne vais pas te mentir : ce qui ne nous tue pas ne nous rend pas forcément plus fort. Certaines blessures laissent des plaies béantes, tu seras quelquefois obligée d'enfiler une carapace ou de te cacher sous une forêt de piquants. Mais le bonheur se remarquerait-il si on le croisait tous les jours ?

Une dernière chose : tu es belle. Ne sois pas si dure envers toi. Offre-toi la tolérance que tu offres aux autres. Ce corps que tu détestes est ton plus beau cadeau de naissance. Il t'a offert la liberté. Un jour, tu comprendras que la beauté ne se mesure pas. Elle n'a pas les sourcils épilés ou la bouche rouge sang, elle ne porte pas de talons ou de cheveux crantés, elle ne suit pas les modes, elle ne se maquille pas. Elle ne se voit pas dans un miroir.

Vis, danse, ris, aime, cours, découvre, vibre, profite. Ne perds jamais de vue l'essentiel : l'histoire a vraiment une fin. Ne perds pas de temps. C'est maintenant. Et cela vaut le coup.

Prends bien soin de toi.

Marceline de quatre-vingt-trois ans.

Chapitre 48

Voilà plus de dix ans que nous n'avons pas vu Morgat. La longère n'a pas changé, elle semble nous attendre. Grégoire est venu nous chercher à Trodilan pour que nous fassions la route ensemble. Lorsque nous arrivons, sa femme et leurs deux enfants sont déjà là.

— Pépé ! Mémé ! C'est bon de vous voir ! s'exclame Marie-Laure en se précipitant vers nous.

Le petit Théo et sa mèche vivante me gratifient d'un baiser bruyant. La grande, Léa, me fait un câlin. Je me laisse faire sans montrer les dents. J'espère qu'ils notent le progrès.

Je suis en train de ranger nos vêtements dans l'armoire de notre chambre quand Corinne et James arrivent à leur tour. Ma fille a les bras chargés de victuailles :

— Je me suis arrêtée à l'épicerie, comme ça on n'a pas besoin de sortir ce soir !

— J'aurais quand même voulu aller quelque part, je réponds.

Elle comprend immédiatement. Deux heures plus tard, depuis le haut de notre falaise, Anatole dans son fauteuil, Corinne et moi dans des sièges pliants admirons le soleil qui choit dans la mer.

— J'avais oublié à quel point c'était beau, murmure Corinne. C'est ici qu'est né mon rêve d'Amérique. Tu t'en souviens, maman ?

— Bien sûr que je m'en souviens.

— J'ai peur que tu l'oublies un jour, souffle-t-elle.

J'ai peur aussi. Les souvenirs sont mes biens les plus précieux, l'idée de les voir s'évaporer petit à petit me terrifie. Je ne veux pas être une carcasse vide. Je ne veux pas oublier la petite fille qui jurait de ne jamais vivre loin de moi.

— Je sais que vous ne voulez pas trop parler du passé, reprend-elle, mais je tiens à vous demander pardon. Je n'ai pas vu tout ce temps qui s'écoulait, je ne me rendais pas compte que vous vieillissiez. J'étais terrée dans ma culpabilité, il m'a fallu du temps pour me remettre de l'accident. Quand j'ai frappé à votre porte, je m'attendais à voir ceux que j'avais laissés vingt-trois ans plus tôt. Je suis désolée d'avoir attendu si longtemps avant de revenir…

Corinne éclate en sanglots. Je pose ma main sur son épaule.

— On est des enfants toute notre vie, articule-t-elle en reniflant, et puis, tout à coup, on devient les parents de ses parents.

— On va pouvoir se venger de toutes les nuits blanches que tu nous as fait passer, ricane Anatole.

— Bonne idée ! j'ajoute. Et on te tapissera le visage de purée de carotte quand tu nous donneras à manger.

— Et on fera caca dans le bain, glousse Anatole.

— Et on se promènera tout nus devant tes invités ! je m'exclame. On va te rendre la monnaie de ta pièce.

Corinne est passée des larmes à l'hilarité.

— Je vous aime, vous savez.

— N'essaie pas de nous avoir par les sentiments, répond Anatole. On n'aura pas de pitié.

— Arrête, papa. Je vous aime vraiment.

— Nous aussi, on t'aime, ma puce, dit-il.

Je caresse doucement sa joue :

— On t'aimait même quand on te détestait.

James prépare le dîner quand nous rentrons. Une bonne odeur flotte dans la maison. Grégoire et Marie-Laure jouent aux dames chinoises sur la table basse. Théo et Léa regardent un film sur le canapé. Corinne glisse dans un vase les fleurs cueillies sur le chemin. Anatole rejoint son petit-fils pour lui prêter main-forte.

Face à ce spectacle plus beau que n'importe quel soleil, une vague de bonheur intense, presque douloureuse, déferle en moi, emportant sur son passage les peurs, les rancœurs, les regrets. Là, dans la longère de Morgat, entourée de ma famille, je suis pleinement, totalement, formidablement heureuse.

Chapitre 49

Tout le monde est parti à la plage. Je suis restée à la longère, prétextant une fatigue passagère. J'ai bien cru qu'Anatole allait m'imiter, mais j'ai insisté : le soleil lui ferait le plus grand bien.

J'attends de ne plus entendre leurs voix pour me jeter sur le téléviseur.

Ce n'est pas difficile, j'ai observé Grégoire et les enfants qui regardent des programmes en différé. La musique débute, j'ouvre un paquet de chips. *Les Parisiens de la téléréalité* commencent.

Je sais que vous me jugez, mais ce n'est pas ma faute. Quand j'ai découvert l'émission, lors du mariage de Dylon et Alixa, j'ai d'abord été apeurée par ce monde parallèle dont je ne soupçonnais pas l'existence. Quelques jours plus tard, en zappant, je suis tombée sur un nouvel épisode. Dylon et Alixa se criaient dessus, j'ai voulu savoir ce qui pouvait bien les mettre dans cet état si peu de temps après s'être unis pour la vie. Je n'ai pas tout compris, ma télé lançait des bip étranges pendant leur dialogue, mais j'en savais assez pour vouloir connaître la suite. Pour cela, il fallait attendre le lendemain.

Le lendemain, j'étais au rendez-vous. Brendy et Holivié devaient effectuer un travail pour rapporter de l'argent à une association : nettoyer l'enclos des éléphants au zoo local. Brendy a prévenu :

— Hors de question que je touche à une ...bip... d'éléphant, ça pue, je vais m'en mettre partout, c'est dég...bip.

Holivié a ricané :

— Tu veux pas toucher sa ...bip..., mais tu peux toucher sa ...bip..., regarde, elle est énorme, plus grosse que celle à Khaivyn !

Brendy a écarquillé les yeux et s'est mise à hurler sur Holivié :

— Espèce de ...bip... de ...bip... ! Va ...bip... ta mère, toi et tes dents de ...bip..., parle pas de la ...bip... à Khaivyn, t'es jaloux parce que toi t'as une Knacki Ball, je peux plus te saquer, tu me sors par les trous de la bouche !

L'épisode s'est terminé sur leur retour à la villa. Dans les extraits du suivant, nous pouvions voir la réaction de Khaivyn. Le lendemain, encore, j'étais à l'heure pour ne rien manquer.

Depuis, chaque jour, je profite de la sieste d'Anatole pour retrouver mes amis au langage exotique. Je ne les ai pas vus depuis notre arrivée à Morgat. J'ai attendu un moment de solitude, je ne peux tout de même pas avouer cette dépendance à quiconque, mais il y avait toujours quelqu'un pour m'enquiquiner.

Cet après-midi, je suis tranquille. S'ils restent assez longtemps à la plage, je pourrai rattraper mon retard.

La première scène donne le ton. Alixa, Holivié et Brendy bronzent au bord de la piscine à débordement.

— J'ai mal dormi, déclare Alixa en appliquant de l'huile sur ses seins. Je crois que c'était la pleine lune.

— Tu veux dire qu'elle était bourrée ? s'enquiert Holivié.

— Mais non, que t'es ...bip... ! Elle était pleine !

— Elle était enceinte, le renseigne Brendy, magnanime.

— Ah, d'accord, répond Holivié. Mais du coup, c'est qui le père ?

Les deux filles haussent les épaules.

— Ché pas, moi, répond Alixa. Peut-être une comète, ça ressemble un peu à un spermatozoïde.

— Ah ouais, t'as raison ! approuve Brendy. C'est pour ça que des fois y a des éclipses, c'est quand la lune et la comète éteindent la lumière pour ...bip...

Je n'ai pas le temps de voir la suite, la porte du séjour s'ouvre et Léa apparaît.

— Coucou mémé ! Finalement, j'avais pas très envie d'aller à la plage. Tu regardes quoi ?

— Rien, je réponds en appuyant sur toutes les touches de la télécommande.

En vain. Tout ce que je réussis à faire, c'est figer l'écran sur un gros plan des seins huilés d'Alixa. Mon arrière-petite-fille éclate de rire :

— Tu regardes ça ?

— Pas du tout, la télé s'est allumée toute seule.

— Mémé, tu peux me le dire… J'aime bien, moi aussi.

— Arrête, petite insolente, ou je dis à ton père que tu fumes.

Elle rit de plus belle.

— Je t'adore, mémé ! Bon, on se le regarde, cet épisode ? J'espère que Dylon et Alixa vont se remettre ensemble, je les aimais trop.

Elle s'assoit à mes côtés, plonge sa main dans le paquet de chips et relance la lecture. Je la regarde sévèrement :

— Promets-moi que tu ne diras rien à personne.

— Je promets, mémé. Sur la tête de Khaivyn.

Chapitre 50

Le nom du restaurant a changé, le personnel aussi, mais la vue reste la même. C'est notre dernière soirée en Bretagne, et nous avons tenu à la passer en tête à tête.

Tout serait idyllique, si la serveuse n'était pas aussi antipathique.

— Monsieur, vous n'êtes pas le seul client, soupire-t-elle à Anatole qui tarde à faire son choix.

— Qu'est-ce qu'un ceviche ? demande-t-il en ignorant sa remarque.

Elle lève les yeux au ciel :

— C'est du poisson.

— Et l'espuma ?

— Une mousse.

— Et la dorade ?

— Vous vous fichez de moi ?

— Un peu, réplique-t-il sérieusement.

Je glousse. Elle me fusille du regard.

J'attrape mon sac, y plonge la main et en ressors un petit sachet blanc, que je tends à la serveuse :

— Tenez, mademoiselle, vous devriez prendre ceci. Pour votre constipation.

Elle tourne les talons, furieuse, mais je m'en moque. Mon Anatole pleure de rire.

— On s'en va ? propose-t-il quand il a repris son souffle.

— Mais on n'a pas mangé !

— Si c'est aussi bon que l'accueil… Tu as faim ?

— Pas tellement.

— Alors, viens. Il faut qu'on aille dire au revoir à la falaise.

Le trajet nous prend du temps. Je marche lentement, et le fauteuil d'Anatole est lourd.

— Je repense souvent à notre première rencontre, dit-il soudain. Qui aurait cru qu'elle nous mènerait là ?

— Pas moi ! je réplique en riant.

Mais il n'a plus le cœur à rire. Il veut parler.

— J'ai réalisé une chose récemment, poursuit-il. Je ne regrette pas un jour passé avec toi. Si je devais recommencer, je ne changerais absolument rien.

— Même les jours où j'étais ronchonne ?

— Tous, sans aucune exception. Je ne suis pas sûr que beaucoup de gens puissent en dire autant.

— Pourtant, tu voulais voyager, tu espérais quatre enfants, tu n'as pas eu la vie dont tu rêvais.

— La vie que j'ai vécue est plus belle que celle dont je rêvais.

Je ne réponds pas. Je savoure. Combien de fois ai-je pensé qu'il aurait été plus heureux avec une autre ?

Nous arrivons en haut de la falaise. La pleine lune nous éclaire.

— Tu entends la musique ? je demande à Anatole.

— Quelle musique ?

— Chut, écoute ! Tu ne reconnais pas ? C'est notre chanson : *Regreso al amor*.

Il comprend, sourit et se met à fredonner. Je lui prends la main et, doucement, lentement, je tourne autour de lui sous les étoiles. On ferme les yeux et on se laisse porter par la mélodie imaginaire. Je porte ma robe rouge, lui son costume noir, le public nous acclame, tout le monde est venu, la jeune Corinne et le petit Grégoire, Rosalie, Marius et Blanche, Gustave et Suzanne, Joséphine et Gaston, ma sœur Lucie, ils sont tous là, tous ceux qui comptent, pour assister à notre dernière danse.

Chapitre 51

Grégoire nous a déposés chez nous en début de soirée. Il n'est pas resté, la route pour rentrer chez lui est longue. Il nous a embrassés en nous donnant rendez-vous dans une semaine, pour le grand départ chez Corinne.

L'impasse des Colibris dort. Gustave est parti pour Biarritz, Rosalie s'est envolée vers New York, Joséphine a emménagé avec Jean-Claude, Marius est chez sa fille. Nous sommes les derniers.

Je vide les valises et lance une machine. Je prends une douche rapide, j'enfile ma robe de chambre molletonnée, j'aide Anatole à s'installer devant la télévision. Il regarde le journal pendant que je prépare le dîner.

Nous mangeons de l'avocat aux crevettes et une quiche à la tomate. Anatole a envie d'une pomme, je la lui coupe.

Nous regardons une comédie italienne. Anatole s'endort devant.

Nous allons nous coucher avant vingt-trois heures. Lui du côté droit, moi du côté gauche. Il porte son pyjama bleu, moi ma chemise de nuit blanche qui dévoile mon tatouage sur le cœur.

Il m'embrasse, j'éteins la lumière, nous avalons nos médicaments, je relève la couverture sur nous et je me blottis contre lui.

— Bonne nuit, ma chérie.

— Bonne nuit, mon amour.

Chapitre 52

Corinne, notre toute petite,

Ne sois pas triste, sèche tes larmes. Dans les bras l'un de l'autre, ensemble, c'est la plus belle fin que nous pouvions écrire à notre histoire. Tu le sais, nous étions arrivés à l'extrémité du chemin. Entre une mémoire qui s'évadait et un corps qui enfermait, nous avons choisi notre liberté.

Nous avons eu une vie magnifique, et tu n'y es pas pour rien. Merci d'avoir été cette petite fille pleine d'imagination et de vivacité, merci d'avoir été cette grande fille droite et entière. Nous avons eu beaucoup de chance d'être tes parents. Ne regrette rien, chérie, même loin de toi, nous sentions ton amour. Tu es dans tous nos plus beaux souvenirs.

Nous partons l'esprit tranquille de te savoir heureuse, dans ta nouvelle maison, James aux fourneaux et Grégoire dans le quartier.

Nous nous retrouverons, d'une manière ou d'une autre. En attendant, vis.

Nous t'aimons plus que tout.

Papa et maman.

P-S de maman : Tu trouveras un cahier de notes dans le secrétaire de la chambre bleue. Je l'ai écrit pour toi, pour que tu connaisses mieux les personnes que nous sommes sous notre costume de parents. J'y ai intercalé des pages de souvenirs noircies sporadiquement au fil de notre vie. Si un jour tu en as l'envie…

Chapitre 53

Grégoire, notre petit-fils chéri,

Tu es arrivé comme un soleil à un moment où notre ciel était gris. Tu as tout illuminé.

Et tu as recommencé. La première fois, c'était à la maternité, tu avais un jour. La seconde fois, c'était sur la place, tu avais trente-six ans. Merci.

Ta gentillesse, ta patience, ton humour, ton abnégation aux dames chinoises (il est temps que tu saches que ta grand-mère s'arrangeait sciemment avec les règles) sont parmi les choses qui vont le plus nous manquer. Quel bonheur de t'avoir eu dans nos vies. Quel bonheur de te laisser entouré de ta formidable famille.

Embrasse Marie-Laure, Théo et Léa pour nous. Soyez heureux.

On t'aime très fort, petit amour.

Papy et mamie.

Chapitre 54

Corinne referme la porte du 1, impasse des Colibris. La maison est vide. Tout ce qu'ils ont laissé, c'est la boîte à musique rouge et noire, posée par terre au milieu du séjour.

Elle jette un dernier coup d'œil au jardin. Les rosiers sont encore en fleur.

Le portail claque derrière elle. Grégoire l'attend sur la place.

— Ça va, maman ?

— Ça va aller, chéri. Et toi ?

Il hoche la tête.

La mère et le fils se rendent près des trois épicéas. Corinne ouvre le sac et en extirpe l'urne. La nuit ne va pas tarder à tomber, la fraîcheur se fait sentir.

Elle dévisse le bouchon, fait basculer l'urne et se met à courir autour des sapins. Quelques secondes suffisent à vider ce qu'elle contient. Grégoire observe la scène, les yeux rougis, le sourire aux lèvres. Corinne se place à ses côtés.

Ils seront les seuls à le savoir, s'ils le disaient, personne ne les croirait, mais, ce soir, sur la place, ils ont vu des cendres danser.

1954

Je viens de rentrer du mariage de ma chère sœur Lucie, et je ne peux attendre pour consigner mes émotions. Je n'ai même pas retiré mes chaussures.

Aucun mot n'est assez fort pour décrire la beauté de cette union. Je crois bien n'avoir jamais vu autant d'amour que dans les yeux de ma sœur et de son jeune époux. Je ne suis pas surprise, Léonard est fou de Lucie depuis l'école maternelle. Ces deux-là étaient prédestinés, comme dans les histoires que nous lisions enfants, en espérant les vivre un jour.

Papa ne voulait pas que j'assiste à la cérémonie. Il a refusé de venir, Léonard n'est pas assez bien pour sa fille. Il aurait préféré qu'elle épouse le fils du docteur Marsault, qui a fait sa demande. Jusqu'au bout, nous avons pensé qu'il changerait d'avis. Maman est restée avec lui. Elle pleurait quand je suis partie. Je n'aurais manqué ce moment pour rien au monde. La semaine prochaine, Lucie et Léonard partent vivre dans le Nord, où il a trouvé du travail. La seule personne qui m'aime va vivre à l'autre bout du pays, mais je m'interdis d'être triste. C'est un grand bonheur. Nous nous écrirons.

Nous n'étions pas nombreux, une vingtaine tout au plus. Nous avons dîné autour d'une grande table ronde, de la pintade et des fèves, c'était délicieux. J'étais placée à côté d'un cousin du marié, qui n'a cessé de vanter sa propre personne. Toute la soirée, il m'a reprise sur mes manières : je me trompais de couteau, je ne posais pas ma serviette au bon endroit, je n'utilisais pas le bon verre. Je regrette parfois de ne pas avoir oralement la repartie que je possède mentalement. Je l'ai remercié à chaque conseil.

Lorsque l'orchestre a commencé à jouer, il m'a invitée à danser. J'ai refusé en prétextant une migraine. En réalité, je déteste danser. J'ai déjà essayé, dans ma chambre, mais j'ai l'impression que mes jambes n'obéissent pas à mon cerveau, qu'elles vivent leur propre vie. Il l'a très mal pris. Il ne m'a plus adressé la parole de la soirée.

Lucie est venue s'asseoir à côté de moi. Elle a passé ses bras autour de mon cou :

— Je suis si heureuse, ma sœur ! Je te souhaite de vivre un amour aussi fort, je te le souhaite du fond du cœur.

J'ai caressé ses boucles et j'ai souri :

— Je ne sais pas si je suis faite pour l'amour, tu sais.

Elle n'a pas eu le temps de répondre, son mari est venu l'entraîner dans une valse.

Je suis partie peu après. Il pleuvait. Je n'avais pas longtemps à marcher pour rejoindre la maison, j'ai posé mon sac sur ma tête et je me suis éloignée de la salle. Un jeune homme m'a rattrapée en courant, un parapluie à la main :

— Je vous raccompagne.

— Merci, c'est gentil, mais je ne vais pas loin !

— Vous allez attraper mal, laissez-moi vous abriter.

J'ai accepté, de mauvaise grâce. Je craignais qu'il ne m'abreuve de paroles comme mon voisin de table. Pourtant, je n'ai pas entendu sa voix de tout le trajet. Ce n'est qu'arrivés devant ma porte qu'il m'a dit :

— Je n'ai pas osé venir vous parler de toute la soirée, mais si je ne le fais pas maintenant, je sens que je le regretterai toute ma vie. Acceptez-vous que l'on se revoie ?

Il est grand, brun, distingué, il s'appelle Anatole, et, demain, il m'emmène me promener au parc.

Épilogue

Vingt ans plus tard

La cloche sonne dans la cour de l'école. Maman est en retard, comme d'habitude. Elle court en me traînant par la main, elle sait qu'elle va se faire remonter les bretelles par la directrice. Elle me fait une bise sur la joue et me pousse vers le portail. Madame Mortier secoue la tête :

— Allez, dépêche-toi de rejoindre ta classe, Joséphine !

Je traverse la cour et j'entre dans l'école. Elle est bien gentille, à me dire de me dépêcher, mais fallait pas faire tous ces dessins sur les murs du couloir, si on ne peut pas prendre le temps de les regarder. Je marche lentement en admirant les dragons, les sirènes, les arbres magiques, les lapins bleus et les explosions de couleurs. De toute manière, j'ai pas trop envie d'aller en classe. Hier, Suzanne et Rosalie se sont encore disputées, et elles vont encore m'obliger à choisir mon camp.

Les autres élèves sont déjà installés. La maîtresse me gronde, mais, avec sa voix douce, on dirait qu'elle me dit des gentillesses. Je m'assieds à ma place et j'enlève mon manteau. Aujourd'hui, on va faire la photo de classe, alors j'ai mis mon pull préféré : le fuchsia. Rosalie me sourit. Suzanne me fait coucou. J'ouvre mon cahier vert.

J'aime bien le CP, mais je préférais la maternelle. Au moins, on pouvait jouer, là on fait rien que travailler, travailler, travailler. Maman dit que c'est pas fini, j'espère qu'elle dit ça pour me faire peur.

La récré arrive vite. La cour est très grande, mais, avec les copines, on joue toujours au même endroit. On a trouvé un passage secret sous les trois sapins géants, et on est sûres que si on grimpe tout en haut on arrivera dans un autre monde, comme dans *Jack et le Haricot magique*.

On n'a jamais essayé de monter, mais c'est une bonne cachette pour que les garçons ne nous embêtent pas trop. Ils sont pénibles, surtout Marcelin. Je comprends pas, pourtant sa maman est gentille et elle fait de bons gâteaux au chocolat.

La maîtresse tape dans les mains, on doit aller au fond de la cour, le photographe nous attend. Les bancs sont devant un arbre qui commence à avoir quelques fleurs roses, c'est trop beau. L'hiver est bientôt fini. Je suis grande, alors on me met au dernier rang, à côté de Gaston et Marius, qui ne font que se chamailler. Blanche se glisse entre eux pour les calmer. Elle est gentille, Blanche, mais un peu fayote. En plus, elle fait sa crâneuse avec ses ballerines à paillettes.

Le photographe n'est pas content, Marcelin n'arrête pas de faire des grimaces. Il lui dit d'arrêter, sinon tant pis, ses parents auront une photo où il tire la langue. Ça fait rire Gustave... Il rigole toujours aux blagues de Marcelin.

Lucie a envie de faire pipi, et Léonard pleure. Il dit qu'Anatole lui a volé son bonnet, mais Anatole dit que c'est faux. Moi, je le crois. Il est trop beau.

On a fini les photos tous ensemble, après on fait les photos tout seuls et c'est l'heure de la cantine. Anatole s'assoit à côté de moi. Il veut mon yaourt à la fraise, il n'aime pas l'abricot.

L'après-midi, on fait un peu de calcul, et puis on fabrique les cadeaux pour la fête des grands-mères. C'est papy qui vient me chercher. Il m'a apporté mon goûter préféré : un beignet à la confiture.

— Tu as passé une bonne journée, ma puce ?

— Oui, papy !

— Tu as fait quoi ?

— Je sais plus trop.

Je le vois sourire dans le rétroviseur.

— Dis, papy, tu allais à l'école toi aussi ?

— Bien sûr, mais pas dans celle-là. Elle n'existait pas.

— Alors, un jour, je serai vieille comme toi ?

Il rit.

— Oui, ma puce. Un jour tu seras vieille, et tes enfants te poseront des questions.

— Mais je veux pas être vieille, papy Grégoire !

Il soupire :

— C'est ainsi, ma puce. C'est le cycle de la vie.

FIN

MERCI

Comme une évidence, le premier merci vous revient, papy et mamie.

Mamie, je sais que papy ne lit plus vraiment, alors je compte sur toi pour lui dire à quel point vous êtes importants, à quel point je me sens chanceuse de vous avoir.

Vous vous souvenez sans doute du jour où l'idée m'a percutée, vous me parliez de toutes ces années écoulées dans votre rue, de tous ces souvenirs qui peuplent la place, de cette voisine que vous ne pourriez plus jamais saluer. Je me suis revue, toute petite, me cacher sous les trois immenses sapins, grimper dans le prunier avec mon cousin Nicolas, je vous ai vus, vous, dans ce foyer que vous envisagez de quitter, parce qu'il devient trop lourd à gérer, parce qu'un petit appartement serait plus pratique, mais que vous ne pouvez vous résoudre à laisser derrière vous, parce que cette maison n'abrite pas seulement vos meubles, mais tous vos souvenirs.

Depuis toujours, le temps qui passe est le sujet qui me bouleverse le plus. J'y pense le matin en me levant, j'y pense le soir en me couchant, et entre les deux, ça ne me quitte pas vraiment. Le besoin d'écrire dessus était là, tapi sous des couches de peur et de déni. Ce jour-là, je n'ai plus eu le choix. Ce roman est sans doute celui qui a été le plus difficile à écrire. Je me suis fait violence, je suis allée chercher tout au fond de moi, j'ai ri, j'ai pleuré, j'ai été remuée, secouée, ébranlée, sans doute parce que c'est à vous que je pensais. J'ai replongé dans tes carnets, dans tes poèmes, dans tes souvenirs, j'ai rencontré la Marianne de vingt ans, le Georges de trente ans, j'ai compris que c'était de toi que je tenais cette hypersensibilité, j'ai lu tes peurs, vos joies, vos peines, j'ai croisé la fromagère, le boulanger, le volailler, je me suis encore rapprochée de vous, alors que je croyais cela impossible.

Je n'ai pas voulu raconter votre histoire, elle vous appartient. Marceline et Anatole ne sont pas Marianne et Georges, vous êtes très différents, vos vies aussi. Mais toutes les notes que tu as prises au long de ta vie m'ont permis de me plonger dans des époques où je n'existais pas. Surtout, cela m'a encouragée à laisser une trace. Un jour, peut-être, quelqu'un lira mes notes en se rappelant vaguement une vieille dame qui s'appelait Virginie.

Merci à vous deux, pour toutes ces heures autour de la table du séjour, à discuter de tout, à jouer aux dames chinoises, à rire, à manger, à fabriquer des souvenirs. Je vous aime tellement.

Comme une évidence (bis), le deuxième merci te revient, mon Anatole à moi.

D'abord parce que tu as été d'une aide précieuse pour ce roman, en me proposant plusieurs idées qui, même quand je ne les retenais pas, irriguaient mon inspiration.

Il faut que je dévoile ici que c'est toi qui as trouvé les meilleures punchlines du rap des Octogéniaux, je ris à chaque fois que je te revois chanter « Va niquer grand-mère » avec ton flow inimitable.

Ensuite, pour tout ce qui fait que je ne pourrai pas vivre une seconde dans un monde où tu n'es plus. Le temps qui passe me fait moins peur depuis toi.

Merci à nos enfants.

Le premier, qui parsème son absence de petits signes de sa présence.

Le deuxième, qui illumine notre quotidien de son humour, de sa tendresse, de sa sensibilité. Qui affirme qu'il a appris à lire « pour pouvoir lire les livres de maman ». Qui est dans tous mes plus beaux souvenirs.

Le troisième, qui a accompagné l'écriture de ce roman, niché au creux de mon ventre. Qui n'est pas encore né, mais qui est déjà dans tous nos projets.

Vous êtes ma sève.

Merci maman.

Que c'était bon de te voir rire en tournant les pages, de lire tes messages émus, que c'est doux de voir les couvertures de mes livres accrochées au mur de ton bureau, entre les photos de tes petits-enfants édentés. Merci d'avoir laissé la tête de ta petite fille dans les étoiles tout en lui faisant garder les pieds sur terre, merci de m'avoir laissée emprunter mon propre chemin sans chercher à le rendre droit.

Merci Serena Giuliano.

D'avoir été présente à chaque étape de la conception (du roman, pas du bébé), merci de m'avoir encouragée, donné du carburant, rassurée. Merci pour nos appels quotidiens, qui me permettent de voir et revoir ta photo avantageuse s'afficher sur mon écran, merci de ta folie, de ton écoute, de ta confiance, de ta sensibilité, mais pas merci pour les chansons dès le réveil. *I know the winter, I know the cold (The cold), but the life without you (Without you), I don't know.*

Merci à celles et ceux qui ont accepté de relire mon texte avant les corrections.

Marine Climent, qui aurait cru, quand on séchait la première heure du boulot pour aller sauver un chien renversé par une voiture, malgré l'interdiction du responsable, qu'un jour on boirait l'apéro face à l'océan en parlant de nos projets d'écriture ? Merci d'avoir lu mon dernier, maintenant j'attends ton premier.

Baptiste Beaulieu, je ne pensais pas être un jour aussi heureuse de te faire pleurer. Merci pour cette amitié précieuse et pour ta bienveillance à toute épreuve.

Constance Trapenard, tu sais à quel point ton avis compte, à chaque fois, c'est la même anxiété quand je t'envoie le texte, à chaque fois, c'est le même soulagement quand tu m'appelles. Merci d'avoir été l'une des premières à croire en moi, bien avant le premier roman.

Cynthia Kafka, merci pour tes dizaines de messages le jour de ta lecture, un à chaque fois que tu riais, un à chaque fois que tu pleurais, et le bouquet final qui m'a tellement touchée.

Sophie Henrionnet, merci pour tes mots qui m'ont rassurée à un moment où j'en avais besoin, et merci pour ton énorme… cœur.

Camille Anseaume, pour ton soutien depuis le début, pour tes mots magnifiques, merci d'avoir fait de moi l'auteure à la b… d'or.

Marie Vareille, merci pour ton retour de lecture toujours juste et généreux.

Merci à mes proches de ne pas m'en vouloir de m'être enfermée dans une grotte pendant l'écriture, de ne pas avoir toujours répondu aux appels ou aux messages (un jour, j'arriverai à gérer plusieurs choses à la fois) : ma sœur, Marie, papa, Mimi, Justine, Gaëlle, Delphine A., Faustine, et tous les autres.

Merci à ma chère éditrice, Alexandrine Duhin.

Merci pour tes larmes, tes rires, et surtout, cette fois plus que les autres, merci de ta confiance. Quand on commence à écrire un texte difficile et que la vie nous envoie une épreuve, on a besoin de quelqu'un pour nous aider à ne pas lâcher. Tu as été ce quelqu'un. Tu m'as tirée par les bras quand je les baissais. Tu as fait semblant de me croire quand je te disais que tout allait bien. Merci pour cette présence discrète et rassurante, qui m'a permis d'écrire exactement le livre que je voulais écrire. Je suis heureuse que tu l'aimes tant.

Merci aux équipes de Fayard. Sophie de Closets, pour tes mots et ta confiance, je suis honorée quand je t'entends parler de ma plume ; Jérôme Laissus, pour votre disponibilité et votre bienveillance ; Éléonore Delair, pour tes conseils précieux et pour cette discussion qui a donné naissance au titre ; Katy Fenech pour ta générosité et tes idées de génie ; Laurent Bertail, c'est un talent d'être aussi drôle tout en étant si professionnel ; Carole Saudejaud de faire voyager mes livres, et surtout pour tout le reste ; Catherine Bourgey que j'ai hâte de connaître davantage ; Pauline-Cunégonde Faure, Florence Ameline, Pauline Duval, Romain Fournier, Valentine Baud, Agathe Mathéus, Ariane Foubert, Lily Salter, Véronique Héron, Florian Madisclaire, Marie-Félicia Mayonove.

Merci aux équipes du Livre de poche. Audrey Petit, pour ta disponibilité, ton écoute, ton humour, ta sincérité, ta sensibilité, tu es bien plus que mon éditrice ; Véronique Cardi, merci d'avoir mis tant d'énergie à donner une seconde vie à mes romans, tu es une très belle rencontre, je te souhaite une bonne route ; Béatrice Duval, dont je suis heureuse de recroiser le chemin ; les formidables Sylvie Navellou et Anne Bouissy, c'est toujours un plaisir de passer du temps avec vous ; l'adorable Florence Mas, pour ton travail et tes câlins ; Bénédicte Beaujouan pour ces couvertures magnifiques.

Merci France Thibault pour ta présence depuis plusieurs années.

Merci Romain Brémond, Daniel Preljocaj et Éléonore de Galard d'avoir eu cette envie folle de porter mes histoires sur écran. Je vous confie mes personnages sans peur, je sais qu'ils seront bien entre vos mains.

Merci à mes éditeurs étrangers, c'est très émouvant de savoir que mes mots voyagent à travers le monde.

Merci, chers libraires, d'être le trait d'union entre mes histoires et les lecteurs. Depuis toute petite, les librairies sont l'un de mes lieux favoris, je peux y passer des heures, et j'en ressors généralement avec plusieurs livres : celui que j'étais venue chercher, celui dont la couverture m'a appelée, et ceux que vous m'avez conseillés. Savoir que, parfois, ce sont mes romans que vous recommandez me touche infiniment. Merci d'être ces fournisseurs d'émotions.

Et merci à tous ceux qui ont la gentillesse de m'inviter à venir rencontrer les lecteurs, c'est une grande joie à chaque fois, et un crève-cœur quand je ne peux pas accepter. Quand mes enfants seront grands, il n'est pas exclu que je passe chaque soir de ma vie dans une librairie différente.

Merci aux représentants de mettre à chaque fois autant d'enthousiasme pour présenter mes romans et leur offrir une belle place.

Merci aux blogueurs et instagrammeurs.

C'est très touchant de vous voir prendre du temps pour partager vos coups de cœur littéraires, mettre votre passion au service des autres, sans contrepartie. En tant que lectrice, je suis sensible à vos avis, je craque essentiellement pour des romans dont j'ai lu de bonnes critiques sur les réseaux sociaux, alors, quand vous parlez des miens, je vous laisse imaginer l'émotion. Merci pour cette générosité, qui nous aide à rencontrer de nouveaux lecteurs.

Enfin, un immense merci à vous, chères lectrices, chers lecteurs.

Merci pour vos messages, par mail ou sur les réseaux sociaux. J'essaie de répondre, il arrive que je sois dépassée, mais je lis chacun de vos mots, en souriant, en reniflant, parfois je les lis à mon mari et ma voix s'étrangle, je suis profondément touchée par vos confidences, j'aime quand vous me racontez dans quelles circonstances vous me lisez, dans le lit avec la main devant la bouche pour ne pas réveiller votre mari en riant, dans le métro avec des lunettes de soleil pour cacher vos larmes, en couple, entre amies, après votre mère, avant votre grand-père, à la maternité, dans un moment douloureux, en cornant les pages, en frappant ceux qui osent corner les pages, en surlignant des passages, en faisant semblant de travailler, en attendant votre amoureux. Je vous remercie de prendre le temps de m'écrire ce que vous ressentez, ce qui a fait écho.

Merci pour vos sourires, vos larmes quand on se rencontre, pour vos câlins, vos lettres, nos fous rires, vos confidences, les émotions fortes. Les séances de dédicaces et les salons sont définitivement parmi mes moments préférés. J'en repars toujours vidée de mes forces, mais remplie de votre bienveillance, avec l'envie de vous écrire de nouvelles histoires.

C'est mon cinquième roman, pourtant je ne m'y fais pas. J'espère ne jamais m'y faire. Je sais que je ne m'y ferai jamais. Voir mon livre entre vos mains. L'imaginer dans votre bibliothèque. Savoir que vous l'offrez à ceux que vous aimez. Vous rencontrer.

Finalement, ces histoires, on les écrit à deux. J'écris, vous lisez. Je vous envoie mes émotions en espérant que vous les recevrez et, quand ça arrive, c'est comme de la magie.

J'ai ressenti énormément d'émotions en écrivant l'histoire de Marceline, Anatole et les autres. J'espère que vous les avez reçues.

J'espère que nous écrirons beaucoup d'autres histoires, ensemble.

Merci.

DE LA MÊME AUTEURE :

Le Premier Jour du reste de ma vie, City, 2015 ; LGF, 2016.

Tu comprendras quand tu seras plus grande, Fayard, 2016 ; LGF, 2017.

Le parfum du bonheur est plus fort sous la pluie, Fayard, 2017 ; LGF, 2018.

Il est grand temps de rallumer les étoiles, Fayard, 2018 ; LGF, 2019.

Chère mamie, coédition Fayard/LGF, 2018, au profit de l'association www.cekedubonheur.fr.

Le Livre de Poche s'engage pour l'environnement en réduisant l'empreinte carbone de ses livres. Celle de cet exemplaire est de :
250 g éq. CO_2
Rendez-vous sur www.livredepoche-durable.fr

Composition réalisée par PCA

Achevé d'imprimer en juillet 2020, en France par
Maury Imprimeur – 45330 Malesherbes
N° d'imprimeur : 246737
Dépôt légal 1re publication : mai 2020
Edition 02 - juillet 2020
LIBRAIRIE GÉNÉRALE FRANÇAISE
21, rue du Montparnasse – 75298 Paris Cedex 06